LE TRAVAIL
— une —
MUTATION
en forme de paradoxes

Comité de direction de la collection :

Léon Bernier
Fernand Dumont
Andrée Fortin
Léo Jacques
Gilles Lesage

Diagnostic réunit des ouvrages portant sur des questions de brûlante actualité et destinés au grand public. Les auteurs sont invités à y présenter un état de la question, à tenter de cerner le problème et à suggérer des éléments de solution ou des pistes de recherche, dans un langage simple, clair et direct.

Diagnostic veut informer, provoquer la réflexion, stimuler la recherche et aider le lecteur à se former une opinion éclairée.

DIAGNOSTIC 23

Mona-Josée Gagnon

LE TRAVAIL
une
MUTATION
en forme de paradoxes

1996

INSTITUT QUÉBÉCOIS DE RECHERCHE SUR LA CULTURE

Les Presses de l'Université Laval reçoivent chaque année du Conseil des arts du Canada et de la Société de développement des entreprises culturelles du Québec une aide financière pour l'ensemble de leur programme de publications.

Données de catalogage avant publication (Canada)

Gagnon, Mona-Josée, 1947-

Le travail : une mutation en forme de paradoxes

(Diagnostic ; 23)
Comprend des réf. bibliogr.

ISBN 2-89224-265-7

1. Sociologie industrielle. 2. Travail. 3. Travail, Marché du. 4. Travailleurs. 5. Rapport salarial. 6. Main-d'œuvre. I. Institut québécois de recherche sur la culture. II. Titre. III. Collection.

HD6955.G33   1996   306.3'6   C96-941296-7

Conception graphique de la couverture : Deschamps Design

Infographie : Mariette Montambault

© Les Presses de l'Université Laval 1996

Dépôt légal 1996 – Bibliothèque nationale du Québec
ISBN : 2-89224-265-7 – ISSN : 0831-5264

Les éditions de l'IQRC
Pavillon Maurice-Pollack, 3ᵉ étage, local 3103
Cité universitaire, Sainte-Foy (Québec) G1K 7P4
Tél. (418) 656-2803 – Téléc. (418) 656-3305

DIFFUSION DIMEDIA
539, boulevard Lebeau
Saint-Laurent (Québec) H4N 1S2
Tél. (514) 336-3941 – Téléc. (514) 331-3916

Remerciements

Je remercie Léone Pontbriand-Gagnon, ma mère, de même que Chantale Lagacé, Dominique Savoie et André Roy qui ont, à mon grand profit, commenté une première version du manuscrit. Et qu'on me pardonne pour les erreurs qui subsisteraient et dont je suis responsable. Enfin, Danielle Boudreau a assuré le traitement du texte avec la compétence exceptionnelle qui lui est habituelle.

Présentation

Y a-t-il une journée où l'on ne prononce pas les mots « travail » ou « travailler », ne serait-ce que pour dire « aujourd'hui je ne travaille pas » ? Mots passe-partout, on les utilise à toutes les sauces et toujours à bon escient. Ainsi :

- je travaille pour gagner ma vie ;

- tu travailles dans ton jardin le samedi après-midi ;

- elle a cessé de travailler pour élever ses enfants ;

- nous faisons du travail bénévole à l'école ;

- vous travaillez après votre retraite ;

- elles sont accablées par le travail ménager.

Chacun peut poursuivre cette liste, qui n'a qu'une utilité, démontrer la polysémie du terme qui a donné son titre à ce livre. Le terme « emploi » est, par comparaison, plus facilement cernable. Il s'agit d'une catégorie économique désignant la plus petite unité de mesure de la rencontre entre une offre et une demande de travail. Et quand on parle de la crise de l'emploi, chacun sait que l'on déplore un déséquilibre entre l'offre et la demande.

Parler du travail est différent et oblige à préciser de quoi l'on parle. Dans ce livre, il sera question du travail *rémunéré*, quel qu'en soit le statut. Non pas que d'autres activités ne puissent à juste titre être qualifiées de travail. Mais tout simplement parce qu'il faut circonscrire le sujet.

Chemin faisant, nous porterons davantage notre attention sur le travail *salarié*, dont nous adopterons une définition très large. Mais il faut aller plus loin dans la précision.

Le travail doit en effet être traité sous deux angles. D'une part, le travail en tant que représentation sociale, en tant que discours et éthique. D'autre part, le travail comme condition, condition matérielle, condition sociale tout autant. Distinction analytique certes, car ces deux angles d'analyse s'influencent mutuellement. La représentation colore nos perceptions de la réalité, et cette dernière en retour influe sur nos représentations. Et nous vivons dans une société à l'intérieur de laquelle se bousculent plusieurs représentations du travail qui sollicitent notre adhésion.

Depuis une quinzaine d'années, le travail souffre d'une étrange maladie que ses accointances avec le fonctionnement économique de nos sociétés lui ont value. Les éditeurs nous bombardent de livres visant à définir et redéfinir le travail. On se demande dans quelle mesure le travail est toujours, ou doit demeurer, au centre de nos vies ainsi qu'au cœur du fonctionnement de la société. On s'interroge sur la possibilité de dissocier le travail du revenu et d'inventer des formes de travail qui ne seraient pas rémunérées, mais pourtant reconnues et valorisées. On se demande comment partager plus équitablement le travail. On se demande comment remplacer ce rôle de *lien social* qu'auparavant le travail jouait si naturellement.

Cela se perçoit aisément. Le travail est au centre de nos sociétés, au cœur de nos institutions, à la surface de nos angoisses d'individu, de parent, de citoyen. C'est une notion qui possède des versants politique, philosophique, sociologique, économique. Le travail renvoie à la hiérarchie, au pouvoir et au statut ; à la conception de la démocratie et de l'équité ; à l'ordre social et à son contraire, le désordre ; à l'organisation familiale et aux rapports entre générations ; au destin enfin de chacun d'entre nous, que la présence ou l'absence de travail nous comble ou nous fasse souffrir.

La première partie de cet ouvrage traitera des aspects macrosociologiques. Il sera donc question du travail comme représentation et comme valeur. Cette réflexion obligera à opérer un retour sur le passé, ce qui permettra de mesurer à quel point ont changé au cours des siècles et des années les conceptions du travail, qu'il s'agisse de celui-ci vu comme catégorie générique ou de certaines de ses incarnations comme le travail des femmes. Les représentations se nourrissant de réalités, il faudra bien aussi se pencher sur le grand bouleversement du marché du travail. Au-delà du manque chronique d'emplois, les statuts de travail se multiplient, si bien que c'est le salariat, autrefois généralisé, qui se décompose tranquillement. Voilà que nos façons de vivre, nos institutions collectives en sont ébranlées. Plusieurs parlent de « crise du travail » pour désigner ce gigantesque remue-ménage qui ébranle le socle sur lequel s'est bâtie notre société. Les contributions au débat sont nombreuses, les solutions le sont moins. Mais comment ne pas constater le paradoxe qui fait du travail le devoir d'état de tout bon citoyen, alors même que les filières d'accès au travail se bloquent et se raréfient?

Les deuxième et troisième parties de cet ouvrage traiteront du travail comme *condition* et nous ferons alors l'impasse sur ceux et celles qui sont privés de travail. Condition singulière mais aussi conditions plurielles, car le travail que l'on a nous distingue des autres plus radicalement que toute autre qualité. Le monde du travail cristallise toutes les inégalités. Il est à l'origine des classes sociales et des statuts sociaux, des préjugés et des discriminations. C'est pourquoi il est univers d'âpreté et de compétition, tout autant que d'entraide et de solidarité.

Nous verrons d'abord la condition salariale à partir de ceux qui ont cherché à la modeler et configurer selon leurs besoins, soit les propriétaires des moyens de production, les employeurs, les gestionnaires et leurs conseillers. L'analyse de l'évolution des stratégies patronales nous mènera à discuter de l'entreprise comme base opérationnelle mais surtout comme univers d'appartenance et d'inculcation. La médaille sera ensuite retournée pour voir le travail du point de vue de ceux qui le vivent à partir de positions de subordination plus ou moins marquées. Destins individuels et destins de classe, mais aussi formation d'identités et naissance d'actions collectives. Le monde du travail n'est pas qu'une succession de fatalités.

C'est dans la quatrième et dernière partie que sera fait place au débat sur l'évolution des systèmes productifs, qui intéresse maintenant bien d'autres que les universitaires, puisqu'il a essaimé dans les milieux patronaux et syndicaux. Nombreux sont ceux qui sont d'opinion que les conditions générales de travail sont en train de subir, et pour le mieux, une mutation. Il est question de mort du taylorisme et même de fin de la division du travail. D'autres distinguent, plutôt qu'une rupture, des évolutions qui s'inscrivent au cœur de déterminations d'ordre structurel qui n'ont pas changé. Tout le débat peut être résumé par deux questions. D'abord, s'agit-il d'*un* changement ou plutôt de *plusieurs* changements qui ne peuvent être appréhendés comme une évolution homogène ? Ensuite, quelle lecture doit-on faire *du* ou *des* changements en cours ?

Il y a donc aussi remue-ménage appréhendé du côté de la condition salariale. Reste à en mesurer la profondeur et l'importance. Reste à identifier les effets de l'ébranlement du salariat comme mode dominant d'organisation sociale sur les changements diagnostiqués dans les milieux de travail.

Reste à se demander si l'acte d'aller travailler a tant changé pour le commun des mortels. Paradoxe là aussi. Nous sommes nombreux à être convaincus que « le travail, c'est la santé », comme on le disait autrefois, mais pourtant unanimes à trouver que « la vie, c'est bien plus que le travail ». Bonheur, souffrance, épanouissement, frustration, tout s'entremêle et fait de chacun d'entre nous des êtres ambigus lorsqu'il s'agit du travail. Ce livre est donc une invitation à un voyage en demi-teintes et contrastes.

12

Première partie

LE TRAVAIL :
SES REPRÉSENTATIONS
ET SA RÉALITÉ

1

Travailler :
de l'obligation au droit

Évolution des conceptions du travail

Léon XIII et Aristote, Marx et Mussolini, parmi bien d'autres, se sont intéressés au travail. Toute société doit subvenir aux besoins de ses membres, bâtir des infrastructures publiques et accumuler de la richesse, ce qui ne saurait se faire sans que quelques-uns au moins mettent la main à la pâte. C'est pourquoi les pouvoirs politiques ont de tout temps édicté des règles relatives au travail. Et, de façon bien compréhensible, le travail s'est retrouvé au centre des pensées religieuses et des idéologies politiques.

Le travail : un construit social

Si les conceptions du travail ont évolué selon les époques et varié selon les pays, on peut cependant repérer quelques constantes, valables tout au moins à l'échelle des sociétés occidentales. D'abord, elles ont été modelées par le niveau de développement des infrastructures publiques et des technologies. Ensuite, elles ont évolué selon l'importance et le coût de la main-d'œuvre disponible et corvéable ; c'est dire que les mouvements de résistance et les mécanismes de contrôle de la main-d'œuvre furent cruciaux. Enfin, le contexte économique a influencé

15

lourdement, et c'est encore le cas, les conceptions du travail. Ainsi, il n'est guère étonnant que les débats autour de la « crise du travail » s'amplifient en période de chômage chronique.

Un fil conducteur relie les débats séculaires autour du travail. Ces débats ont pris place dans des sociétés de classe, marquées au coin de nombreuses inégalités. Si bien que les discours dominants sur le travail émanaient généralement des groupes dominants et servaient les intérêts de ceux-ci. En dépit des allures d'évidence qu'il revêt de nos jours, le travail n'est donc pas un invariant historique. Il a été pensé et vécu au gré de rapports sociaux changeants, ce qui fait de lui un construit social.

L'époque pré-industrielle : une vision plutôt négative

De façon générale, on peut dire qu'à l'époque préindustrielle en Occident, le travail était vu de façon plutôt négative. Bien sûr, il y aurait beaucoup de nuances à établir selon les moments, les régions, et les religions également. Il demeure que le travail n'était pas un « devoir d'état » universel, ou était à la rigueur considéré comme une ennuyeuse nécessité.

Dans la Grèce et la Rome antiques, le travail était une activité méprisée. Tant en grec qu'en romain, deux mots désignaient l'activité laborieuse ou ce que nous appelons travail : un terme positif, assimilable à « œuvre » (*otium*), et un terme négatif, qui renvoyait aux activités pénibles (*labor*). En fait, Aristote, dont les propos sur le travail sont très souvent cités, n'entretenait pas du travail la même définition que nous. Il aurait protesté si on lui avait dit qu'en philosophant et en ouvrant les esprits à la science il travaillait. À l'époque, le travail était associé à l'effort physique, aux travaux de construction et d'entretien, à la peine...

Ces occupations étaient abandonnées aux esclaves qui, aux époques glorieuses de Rome ou d'Athènes, ne manquaient pas. C'est pourquoi, dans ces sociétés si avancées par ailleurs sur le plan scientifique, on ne se préoccupait guère de productivité. Ce mépris du travail, qui était

16

fondé sur des critères raciaux et s'adressait en fait autant aux identités ethniques ou de castes, était corrélé à une très grande valorisation de l'activité intellectuelle et artistique. Et telle distribution des activités semblait la plus appropriée pour assurer un épanouissement artistique et culturel optimal.

La tradition catholique, pour sa part, proposait une vision plus égalitaire. La malédiction divine ne faisait pas de quartiers ; tout le monde était condamné à « travailler à la sueur de son front ». Du moins en principe. En raison des inégalités sociales et des rapports d'exploitation, ce ne fut jamais le cas et il y en eut toujours pour s'en tirer sans travailler ! L'obligation du travail manuel ne valait que pour le « bas peuple[1] ». Même si la malédiction ne se réalisa donc pas totalement, la conception catholique du travail fut longtemps un peu lugubre. Certains devaient travailler parce que c'était une loi de la nature et qu'à bien y penser, on pouvait en retirer quelques bonnes habitudes, comme la discipline, et pourquoi pas y gagner un peu son Ciel.

Il s'agissait en fait tout autant sinon davantage d'une norme associée au caractère très inégalitaire des sociétés de l'Ancien Régime. Ceux que la terre ne nourrissait pas et qui ne disposaient ni d'un titre ni d'un patrimoine n'avaient guère le choix de se chercher un travail... qui n'existait pas toujours. Les plus chanceux avaient souvent, en vertu de liens familiaux, accès à un métier et, par voie de conséquence, à un marché du travail protégé. D'abord apprentis, ils devenaient ensuite compagnons, donc salariés ; l'objectif étant de devenir à leur tour maîtres et de s'affranchir de la condition salariale.

Les moins chanceux étaient forcés à travailler manuellement et durement. La charité des riches puis les mesures embryonnaires de protection sociale avaient bien soin d'exclure les personnes valides ou aptes au travail. Les vagabonds furent, selon les époques et les pays, menacés de déportation, d'emprisonnement, et même de peine capitale. Les salariés industriels ou paysans furent soumis, pour leur part, à des mesures limitant leur mobilité et les livrant en pratique, pieds et poings liés, à ceux qui les employaient. Ce qui fait conclure à l'auteur dont ces lignes sont inspirées[2] que le salariat, avant la révolution industrielle, était un statut indigne, une mise en tutelle, que l'on associait au travail servile et manuel.

Cette misère était l'envers du sort des riches dont l'oisiveté, si elle était sûrement jalousée, apparaissait comme le signe d'un destin plus favorable. Dans les sociétés où les classes sociales étaient très marquées, comme par exemple en France, les gens de fortune s'adonnaient à tout (culture, mondanités, voyages, chasse...) sauf au travail. Cette situation perdura même au-delà de l'industrialisation. Marcel Proust, décrivant les mœurs de personnages de l'ancienne noblesse française du début du XXe siècle, a ainsi brossé un tableau qui, de nos jours, serait parfaitement irréel. Avant lui, un sociologue américain avait décrit ce qu'il appelait la « classe des loisirs », que la futilité des distractions auxquelles ses membres s'adonnaient distinguait du peuple[3]. Les temps ont changé. De nos jours, même pour les riches, il est de bon ton de s'occuper.

L'industrialisation et la naissance du salariat

L'industrialisation, quel qu'ait été son rythme de développement dans l'un ou l'autre pays, fut à l'origine de la généralisation du salariat. La mise sur pied de manufactures et plus tard de fabriques obligeait à rassembler en un même lieu de nombreux travailleurs. Il ne fut pas simple, loin de là, de procéder à cette opération. Les « gens d'état », gens de métier ou artisans, ne se souciaient guère de perdre leur liberté ainsi que la possibilité de choisir le lieu et l'objet de leur travail, pour aller s'enfermer dans des entrepôts malsains et sombres ou pour descendre dans des mines.

Le processus de *formation* de la classe ouvrière est bien documenté pour les « vieux pays ». On utilisa une panoplie de moyens allant de la persuasion à la contrainte. Aux conditions économiques défavorables, aux famines et aux mesures répressives dont il a été question s'ajoutèrent

18

des politiques d'expropriation des terres des petits paysans (Angleterre).

Les premiers sociologues, Marx, Weber et Durkheim, mirent tous le travail au centre de leur analyse de la société, et tous les trois virent en l'industrialisation un bouleversement aussi fondamental qu'inédit. Ils ne se sont pas entendus, cependant, sur l'importance respective des facteurs économiques, politiques et culturels dans la formation du prolétariat urbain, pas plus que les sociologues et historiens qui, à leur suite, se penchèrent sur la question. Plusieurs d'entre eux ont par ailleurs mis en relief que certains dogmes religieux ont favorisé la soumission des masses salariées à leur nouvelle vie[4].

La poussière finit par retomber sur les horreurs auxquelles donna lieu, un peu partout, le processus d'industrialisation : travail d'enfants, salaires à la limite de la survie, châtiments corporels, taux de morbidité et de décès ahurissants... La paupérisation massive, le chômage et les troubles sociaux finirent par avoir raison des mesures d'extrême répression. Le statut salarial fut en quelque sorte rehaussé, devenant le choix de personnes libres. L'acceptation de la mobilité ouvrière, la déréglementation des métiers, jointes au développement économique, aboutirent à la constitution de véritables marchés du travail.

Au XIXe siècle, le mouvement ouvrier français mit de l'avant une revendication de « droit au travail ». Pour le commun des mortels, travailler était la seule façon de ne pas mourir de faim ; c'en était bien assez pour réclamer le droit au travail. Ceux qui critiquaient le travail et valorisaient d'autres façons d'occuper le temps étaient marginaux. Ainsi du gendre de Karl Marx, qui fit l'éloge de la paresse dans un pamphlet qui irrita sans doute son illustre beau-père[5]. L'État français lui-même, à certaines époques, reconnut le droit au travail. Du moins en théorie.

Les humanistes et socialistes qui, à bon droit, avaient dénoncé les conditions de mise au travail du peuple, se rallièrent en général à une vision positive du travail, envisagé dorénavant comme une activité en soi noble et potentiellement épanouissante. Les organisations ouvrières, en Occident, adoptèrent aussi cette vision des choses. Ce n'était pas faute de se rendre compte que le fier artisan avait peu à voir avec l'ouvrier déqualifié. Mais on estimait que les conditions de travail pouvaient vraiment être améliorées. Travailler était certes le moyen de *survivre* pour la majorité. Mais le travail était devenu digne. Plus encore, il fit l'objet d'une conversion éthique. Travailler commençait à devenir une norme, une façon acceptable et même désirable de s'occuper, pour le plus grand avantage des employeurs. Le questionnement sur l'éthique du travail, qui recouvre l'interrogation patronale sur la conscience professionnelle des employés, est enfant du salariat. Ainsi, il n'y avait pas lieu de s'interroger sur l'éthique du travail de personnes soumises à l'esclavage ; la réalité contredit la notion. Ce n'est donc qu'avec le salariat et l'industrialisation que l'éthique du travail est devenue une préoccupation[6].

Les salariés vivent une situation paradoxale : ils sont libres de vendre leur force de travail mais, sitôt qu'ils le font, ils entrent dans un rapport de dépendance et de subordination. Pourtant, à partir du moment où le salarié dispose d'une mesure d'autonomie, fût-elle toute petite, il peut théoriquement l'utiliser pour « mal travailler ». D'où l'inquiétude patronale qui, de tout temps, alimenta les pratiques de gestion de la main-d'œuvre.

La modulation de la norme selon les catégories sociales

On a parlé jusqu'ici en termes généraux, en appui sur des sources documentaires étrangères. Cependant, dans toutes les sociétés, des phénomènes idiosyncratiques firent en sorte que la *normalité* du travail se vit modulée selon les catégories sociales. Dans le cas du Québec, deux exemples s'imposent. Il s'agit du travail ouvrier et du travail féminin.

20

Le travail en usine mit longtemps, au Québec, à gagner ses titres de noblesse. Il fut longtemps considéré par les élites cléricales et nationalistes comme une perversion de l'âme et du destin historique des « Canadiens-français ».

À la fin du XIXe siècle, il existait bel et bien une classe ouvrière canadienne-française, largement concentrée à Montréal. Le regain d'industrialisation et d'urbanisation du début du XXe siècle dérouta les élites. Les agriculteurs quittaient les terres, les campagnes se vidaient. L'Église suppliait les fidèles de rester à la campagne et d'y élever des familles nombreuses. Les périls de la vie usinière étaient mis en relief, comme l'immoralité, l'alcoolisme, la désunion conjugale et, à l'échelle collective, la possible disparition du peuple[7]. Il va sans dire que, dans l'échelle de l'horreur, l'*ouvrière* dépassait l'*ouvrier*. En désespoir de cause, l'Église mit sur pied des syndicats catholiques, puisque ses dénonciations des syndicats « athées » ne suffisaient pas à décourager ses ouailles de s'y inscrire. Pendant la Crise, on sauta sur l'occasion pour envoyer les chômeurs et leur famille « coloniser » des terres pas très hospitalières en Gaspésie, en Abitibi ou au Lac-Saint-Jean. Plusieurs de ces nouveaux colons revinrent en ville, deux tiers d'entre eux selon les historiens.

Devant l'inutilité de ces efforts, une lettre pastorale fut publiée en 1950[8], par laquelle la hiérarchie catholique s'inclinait devant l'existence d'une classe ouvrière canadienne-française. Moult conseils étaient toutefois prodigués, et le salaire familial, qui devait dispenser l'épouse et mère de travailler contre rémunération, énergiquement réclamé.

Plus connue est l'acceptation encore plus douloureuse du travail des femmes. Comme des travaux d'historiennes l'ont abondamment souligné, les femmes du Québec ont travaillé très tôt contre rémunération au Québec. Le travail des femmes ne s'est toutefois que tardivement généralisé, le taux d'accroissement des femmes à la population active prenant son envol dans les années 1950. Mais quel chemin parcouru !

Dans toutes les sociétés occidentales, les femmes ont servi de main-d'œuvre d'appoint lorsque les bras masculins venaient à manquer pour cause de prospérité ou de guerre. Elles s'ajoutaient à la main-d'œuvre féminine plus stable qui avait investi des secteurs d'emploi féminisés et, pour cette raison, sous-payés. À l'occasion de la dernière guerre mondiale (1939-1945), les femmes furent ainsi invitées à remplacer les hommes, particulièrement dans les usines d'armements. Des publicités du gouvernement fédéral les y invitaient, et des garderies furent même mises sur pied pour leurs enfants. Hélas ! on les renvoya à la maison au lendemain de la guerre et les garderies furent fermées.

Cet épisode, banal à l'échelle de l'Occident, attisa des débats passionnés au Québec. Le Québec partageait avec les autres sociétés catholiques (comme la France ou l'Italie) un certain conservatisme à l'égard de l'émancipation des femmes. Mais s'ajoutait au Québec le facteur patriotique. Les élites clérico-nationalistes considéraient que la survie du peuple canadien-français tenait largement à la « surfécondité » des femmes et au fait que ces dernières restaient à la maison pour élever leur progéniture. Pour que les enfants soient bien pris en charge, assurément, mais aussi parce que l'on craignait que le travail rémunéré n'incite les femmes à contrôler les naissances. Si bien que dans les années 1940 on ne se priva pas de parler de complot des « Anglais » contre les Canadiens-français.

On peut certainement avancer que, jusque dans les années 1970, le travail féminin ne fut accepté par l'opinion que dans la mesure où certaines conditions étaient remplies. La « vieille fille », la veuve, la femme abandonnée, en plus de faire pitié, avaient le droit « moral » de travailler. Le cas des femmes mariées était plus délicat, sans parler des mères au travail. L'auteure a proposé[9] que l'acceptation du travail féminin n'a franchi un seuil raisonnable que lorsque le mouvement nationaliste québécois envisagea des moyens législatifs (lois sur la langue, l'immigration) et politiques (statut particulier, souveraineté) pour assurer la pérennité du peuple canadien-français, entre-temps rebaptisé « québécois ». Ceci explique que les lois protégeant l'accès au marché du travail pour les femmes et leur droit à l'équité soient apparues si tardivement... et qu'il y ait encore tant à faire.

C'est donc à l'issue d'un long parcours, quoique modeste à l'échelle de l'histoire de l'humanité, que le travail rémunéré est devenu un *modus vivendi* normal et accepté. Le salariat, de son côté, dut attendre sa généralisation pour être débarrassé de sa connotation négative. En filigrane de cette évolution, on retrouve la reconnaissance de la liberté du travail, qui permit de transcender la malédiction divine et de revendiquer le *droit* de travailler.

1.   On peut consulter à ce sujet Robert Castel, 1995, *La métamorphose de la question sociale. Une chronique du salariat*, Paris, Fayard.

2.   Cf. note 1.

3.   Th. Veblen, 1970 (version française), *Théorie de la classe de loisir*, Paris, Gallimard.

4.   L'historien anglais E.P. Thompson, dans un ouvrage majeur, *The Making of the English Working Class*, 1963-1968, a estimé que les religions catholique et méthodiste (variante du protestantisme) étaient les plus appropriées pour amener les prolétaires à se résigner à leur sort. L'eschatologisme propre à ces traditions religieuses, qui présentait la vie sur terre comme un long purgatoire avant l'avènement du bonheur céleste, n'incitait guère à la révolte. Le sociologue allemand Max Weber a pour sa part mis en relief les liens de complémentarité entre la religion protestante et les comportements favorisés par le mode de production capitaliste : travail assidu, épargne, discipline...

5.   Jean-Paul Lafargue, 1965 (1883), *Le droit à la paresse*, Paris, Maspero.

6.   Une histoire résumée à si grands traits omet des pans de la réalité. Ainsi, la généralisation du salariat n'a pas empêché la persistance de l'esclavage dans l'économie domestique et agricole de nombreux pays.

Notes

7. En France également, mais avec sans doute moins de désespoir, on s'inquiéta dans les milieux cléricaux et intellectuels de la dégradation morale des populations ouvrières. R. Castel (*op. cit.*) parle du « racisme bourgeois » à l'égard des ouvriers.

8. Lettre pastorale collective de Leurs Excellences Nos Seigneurs les Archevêques et Évêques de la province civile de Québec, 1950, *Le problème ouvrier en regard de la doctrine sociale de l'Église*, Montréal, Les Éditions Bellarmin.

9. Voir à ce sujet Mona-Josée Gagnon, 1974, *Les femmes vues par le Québec des hommes*, Montréal, Éditions du Jour.

2

Constitution et ébranlement de la société salariale

Les articulations de la société salariale

Le siècle qui s'achève fut celui de la consécration du travail comme norme sociale. Cette consécration fut l'objet du consensus de toutes les forces sociales, du patronat au syndicalisme, des mouvements nationalistes aux mouvements sociaux-démocrates.

La social-démocratie ainsi que le mouvement syndical, qu'elle a idéologiquement alimenté, se sont, au XXe siècle, massivement ralliés à une revendication de plein emploi. Là où la gauche s'installa durablement au pouvoir, comme dans les social-démocraties nordiques, la croissance économique permit effectivement de mettre en place des mesures préservant du chômage les membres de la société.

Du droit au travail au plein emploi

Au tournant des années 1980, au Québec, les organisations syndicales avaient toutes fait de l'adoption et de l'application d'une politique de plein emploi leur priorité.[1] Avec des succès mitigés, pour des raisons relevant d'une volonté politique mal affirmée, des contextes institutionnel et politique canadiens peu favorables ainsi que d'un

25

environnement économique en mutation. En fait, même les pays où la préservation et la création d'emplois avaient été l'objet d'un consensus durable sont, depuis plusieurs années eux aussi, aux prises avec une augmentation des taux de chômage.

L'emploi demeure la priorité de la plupart des syndicalismes de par le monde. Il s'agit, faut-il préciser, d'emplois de qualité, aptes à assurer un niveau de vie décent. La revendication du droit au *travail* s'est, pour l'heure, vue confinée aux manuels d'histoire. Elle, de même que ses arrière-pensées jadis subversives, nourries de fantasmes de lutte à finir entre capital et travail et de rêves d'abolition du salariat au profit d'un *travail* libre, autonome et triomphant[2].

Par tradition, et de façon bien compréhensible, c'est la gauche qui a priorisé l'emploi. Mais ce dernier est plus qu'un enjeu politique. Un niveau d'emploi élevé est en fait au cœur de toute l'organisation sociale et économique. C'est l'élément essentiel qui, s'il vient à manquer, grippe la machine.

La division des temps Une société organisée autour du travail catégorise les groupes sociaux et constitue aussi la clé de l'*organisation* des temps sociaux. D'une part, les « macro-temps » de la vie, comme ceux de l'éducation et de la scolarisation, suivis par la maturité et la vie active, la retraite et la vieillesse fermant la marche. D'autre part, les « micro-temps » de la vie, comme les temps du travail, du loisir et du repos.

Cette organisation *des* temps est très récente. Elle s'inscrit dans des sociétés qui furent le théâtre de conflits autour du temps, et surtout autour de son contrôle. Le temps n'est pas une donnée immanente. Les façons de le remplir, ou de l'utiliser, ont varié et varient selon les sociétés, les groupes sociaux... et les climats.

Le temps a toujours été un enjeu de pouvoir. Une manifestation de cet enjeu en a été la mesure. Le fait qu'un pouvoir légitime s'arroge le droit de mesurer le temps qui passait et de donner des repères sur les heures qui s'écoulaient ouvrait la porte à une uniformisation des activités aux différentes heures du jour et, potentiellement, à une réglementation de ces activités. Des historiens français[3] situent ainsi l'ordre de succession des différents pouvoirs dans la mesure du temps des villageois ou des urbains. Il y eut d'abord la cloche de l'Église, qui convoquait les fidèles à la prière et rythmait leur journée. Suivit l'horloge de l'hôtel de ville, le pouvoir public prenant le relais du pouvoir religieux dans l'ordonnancement des temps. Jusqu'à ce que le sifflet de l'usine ne devienne le pouvoir ultime, qui convoquait et libérait, de façon bien plus impérieuse, les ouvriers. L'industrialisation et la nécessité de regrouper en un même lieu et au même moment de nombreuses personnes (à une époque où la montre individuelle n'existait pas) mirent en relief le fait que ceux qui ont pouvoir de mesurer le temps ont aussi pouvoir de contrôler le temps des autres.

La perte de contrôle du temps consacra aussi le découpage du temps. La vie paysanne s'écoulait au rythme du soleil et des saisons qui se succédaient, mais aussi en fonction du rythme propre des individus. Le travail industriel, en introduisant un contrôle extérieur sur le temps des individus, fit en sorte que le temps fut découpé. Le mouvement ouvrier inscrivit ses revendications dans cette logique de segmentation des temps. À la fin du XIXᵉ siècle, les luttes pour la réduction de la durée du travail s'illustrèrent dans une chanson ouvrière dont la conclusion était :

« Huit heures de travail, huit heures de repos et huit heures comme bon nous semblera[4]. » [(1880)]

En réalité, cette revendication tenait largement, à l'époque où cette chanson fut écrite, de l'utopie. Ce n'est qu'au XXᵉ siècle que les salariés commencèrent à avoir du temps à eux, c'est-à-dire du temps pendant lequel ils pouvaient faire autre chose que reprendre leurs forces. La notion de loisir elle-même ne fit son apparition que dans la seconde partie du présent siècle. D'une part, le temps de

27

travail s'était significativement réduit, et d'autre part la relative abondance de la période facilitait l'accès aux loisirs institués.

Dans les représentations sociales et dans l'imaginaire de la plupart, c'est le temps durant lequel on travaille qui donne son sens au temps de loisir. Le second est l'envers du premier, et tire sa valeur de l'existence du premier. N'en est-il pas ainsi pour les écoliers qui, à la fin des vacances estivales, ne savent plus comment occuper leur temps, sans pour autant avouer qu'ils ont hâte de retourner à l'école ?

C'est ainsi que la survenue du chômage abolit la catégorie du temps de loisir. Le temps se déroule alors sans contrastes, le gigantesque temps libre n'est qu'un immense temps perdu, qui n'a plus de valeur. Une enquête sociologique très célèbre et encore actuelle, réalisée en Autriche pendant les années 1930, illustrait la perte de valeur du temps lorsqu'il est toujours chômé, et la destructuration des temps sociaux en général. Il faut ajouter que, dans cette petite ville ouvrière frappée par la fermeture de l'unique usine, le chômage était vécu de façon différente par les hommes et les femmes, ces dernières restructurant leur journée autour des tâches domestiques et familiales que la pénurie alourdissait[5].

De la charité à la protection sociale Depuis le Moyen-Âge, il est coutume de distinguer parmi les pauvres. Il y a les pauvres « méritants », qui sont dépourvus de moyens d'améliorer leur sort (ainsi en est-il des handicapés) et les « mauvais » pauvres, présumément responsables de leur malheur. Toutes sortes de précisions sont venues, au cours des siècles, expliciter cette catégorisation qui a fondamentalement perduré, et qui rappelle les expressions courantes d'« aptes » et d'« inaptes » au travail.

Jusqu'à ce que le marché de l'emploi offre des possibilités à peu près convenables à chacun, telle distinction était rien moins qu'odieuse. Mais le XXe siècle, et particulièrement l'époque inaugurée au lendemain de la seconde guerre dite mondiale, fut économiquement faste en même

28

temps qu'elle marqua la généralisation en Occident des mécanismes modernes de protection sociale : retraite, assurance-chômage, assurance-invalidité, et *tutti quanti*. L'État continua à soutenir les pauvres « méritants », forcément peu nombreux par rapport à la population. En complément, des mécanismes de nature assurancielle furent mis en place, afin d'empêcher la population en emploi de déchoir à la suite d'un accident de santé, de la perte d'un emploi ou tout simplement du retrait de la vie active. C'était aussi une façon de soulager l'État ou les institutions charitables de l'obligation de les prendre en charge, bien sûr plus ou moins généreusement, dans un concert de débats sémantiques totalement dépourvus d'élégance visant à départager les « bons » des « mauvais » pauvres. C'était enfin un grand acquis pour les salariés, puisqu'une certaine sécurité financière leur était garantie même s'ils changeaient d'employeur ou de lieu de résidence.

L'assistance pour une minorité, l'assurance pour la majorité... telle était l'équation de base des sociétés fondées sur le travail. Des sociétés, faudrait-il ajouter, dont le niveau d'emploi et la capacité de redistribution de la richesse fondaient l'intervention étatique.

C'est au moment où l'édifice s'ébranle que l'on prend conscience de tout ce dont la centralité du travail, dans nos sociétés, est garante. Le travail est le vecteur principal de redistribution de la richesse. Il n'y a après tout que trois façons légitimes de gagner un revenu : par le travail, par des rentes (de capital financier ou immobilier), par des « dons » (des pouvoirs publics, des organisations caritatives ou des particuliers, conjoints et parents y compris). Pour la majorité des adultes, à l'exception des gens âgés, la part de revenus générée par le travail l'emporte haut la main.

La texture du lien social

Il n'y a donc pas à s'étonner que le travail soit aussi devenu un vecteur d'*identité* essentiel. Bien sûr, nous sommes fils et filles de X et Y, parents de A et B mais, pour beaucoup d'entre nous, cela n'est pas suffisant. Non plus

29

qu'il nous suffit de nous réclamer d'une adresse, de numéros d'assurance sociale ou de cartes de crédit. Autant de vecteurs identitaires qui apparaissent un peu dérisoires.

Dans une société au centre de laquelle le travail est solidement fiché, ce dernier définit les individus. Et il n'y a donc pas à s'étonner que, puisque le travail se conjugue majoritairement avec le salariat, les organisations patronales et syndicales constituent les principaux groupes de pression, sinon l'armature de la société civile. Le maintien de la centralité du travail est donc à la clé de toute notre organisation sociale, de nos mécanismes de représentation... et finalement de l'idée que nous avons de nous-mêmes en nous regardant dans le miroir le matin.

Des fissures inquiétantes

Des construits sociaux   Les pages qui précèdent mettent en relief la logique interne d'une société fondée sur le travail, logique qui fait en sorte que les grandes composantes de l'organisation sociale sont reliées. Cette logique peut nous apparaître aller tellement de soi que l'on peut en oublier que telle société est un construit social, de même que chacun de ses éléments.

Parmi ces éléments, il en est un dont il n'a pas été encore question, mais qui est à la source de l'inquiétude actuelle. Si le *travail* fait problème, c'est que le *marché du travail*[6] ne répond plus aux besoins d'ensemble de la société. Dans tous les pays développés, on s'inquiète de l'insuffisance du nombre d'emplois, ou encore de la piètre qualité des emplois créés. La similitude apparente des problématiques peut faire oublier que le marché du travail est, lui aussi, un produit de la société où il se développe. Et cela même si le marché du travail se laisse difficilement appréhender.

À une époque lointaine, le marché du travail avait une existence concrète. Les personnes qui souhaitaient travailler se rendaient sur une place publique[7] ou encore directement sur les lieux de travail, dans l'espoir d'être embauchées sur une base journalière. La main-d'œuvre portuaire était par exemple, jusque dans les années 1940, embauchée de cette façon. Il en était de même dans les secteurs de travail saisonnier.

Aujourd'hui, le marché du travail au sens de transaction entre une offre et une demande de travail est devenu un peu abstrait, dans la mesure où il n'existe nulle part et se trouve en même temps partout, éparpillé dans une foule de micro-démarches, relayé par des annonces de journaux et des agences de placement, mais aussi royaume de l'informel : bouche à oreille, « tuyau », népotisme officieux...

Tout abstrait soit-il devenu, chaque marché du travail national est modelé par la nature des interventions de l'État, les politiques d'entreprise, les rapports patronaux-syndicaux et plus généralement l'ensemble des rapports sociaux. Ce n'est pas un hasard si le marché du travail américain se développe selon un modèle dual, donc très inégalitaire, et est devenu le repoussoir absolu pour les forces progressistes de partout[8].

Deux phénomènes apparaissent constituer des tendances lourdes dans la plupart des sociétés, en vertu toutefois de spécificités nationales. Le premier phénomène est la segmentation du marché du travail.

Tendances lourdes et émergentes[9]

Plusieurs économistes, bientôt rejoints par des sociologues, ont étudié l'évolution des marchés du travail. Malgré que l'on continue par convention à parler d'*un* marché du travail, il existe un consensus selon lequel cette expression est quelque peu abusive. Le marché du travail est en fait morcelé, stratifié en plusieurs segments, lesquels présentent des qualités d'emploi différenciées, en termes de conditions et de stabilité[10].

L'intérêt de ces recherches n'est pas tant d'identifier lesdits segments que de faire réfléchir aux discriminations systémiques qui sont à l'œuvre sur le marché du travail. Les caractéristiques des segments, en effet, recouvrent les caractéristiques ethnosociodémographiques différenciées de la main-d'œuvre qui s'y retrouve. De nombreuses recherches ont ainsi illustré la condition des femmes et des minorités ethnoculturelles aux États-Unis, encore largement concentrées dans des ghettos d'emplois. Au Québec aussi, le marché du travail est morcelé, et les profils sociodémographiques et de scolarisation destinent à des segments du marché du travail dont les emplois présentent des niveaux très inégaux d'intérêt et d'avantages.

Les analyses sur le morcellement ou la segmentation du marché du travail ne couvrent cependant pas l'ensemble du portrait. D'une part, en cette période de mondialisation des échanges économiques, la division internationale du travail fait en sorte que les processus de segmentation du marché du travail revêtent également un caractère international... et ces processus sont difficiles à documenter. D'autre part, les analyses segmentalistes, qui regroupent des types d'emplois et des secteurs d'activité, planent au-dessus de la réalité de l'entreprise. Or, le second phénomène majeur dont il faut faire état concerne un processus de segmentation de l'emploi se déroulant cette fois au sein de l'entreprise. Il s'agit de la multiplication des statuts d'emploi.

Pour les employeurs, la multiplication des statuts d'emploi est une manifestation de flexibilité, et ils n'y voient qu'avantages. Le principe de flexibilité suppose qu'en tout temps ne seront mises à contribution que les ressources immédiatement requises pour satisfaire à la demande, qu'il s'agisse des salariés, des installations ou des matériaux. Qui dit flexibilité dit donc variations dans la quantité de ressources exploitées. C'est en vertu de cette logique étroitement économique que, préoccupés de contrôler les coûts de main-d'œuvre, la majorité des employeurs tentent de diminuer au strict minimum les effectifs requis et de faire une utilisation plus intensive du personnel qui reste. Ces pratiques concernent tant l'entreprise privée qui a, en Amérique du Nord, toute liberté en la matière, que l'entreprise publique, aux prises avec des restrictions budgétaires.

Cette stratégie se complète nécessairement d'une panoplie de pratiques permettant d'augmenter les effectifs en période de pointe : recours aux heures supplémentaires du personnel régulier, sous-traitance des activités périphériques, embauche de main-d'œuvre temporaire.

Cette dernière peut avoir plusieurs statuts. Elle peut être embauchée sur une base régulière mais selon des horaires partiels ou discontinus. Elle peut être sur appel. Elle peut provenir d'agences de louage de main-d'œuvre ou être contractuelle. Certaines entreprises au Québec ont même forcé des employés à faire l'acquisition de leurs équipements de travail et à se faire « travailleurs autonomes ». Tous ces personnels temporaires, dont la proportion et les statuts varient d'une entreprise à l'autre, se distinguent donc de la main-d'œuvre centrale, qui est la seule à profiter d'une (très relative) sécurité d'emploi et qui profite en général de meilleures conditions de travail. On entend souvent dire que les effectifs stables sont chouchoutés par rapport aux autres... mais les syndicats dénoncent régulièrement l'intensification du travail. Et c'est un fait. Les chanceux qui ont un emploi stable, et qui ont peur de le perdre, doivent travailler plus fort et remplacer les disparus.

Sur ce fond de mutation *qualitative* du marché du travail, d'autres tendances se greffent, pour ajouter à un tableau qui renvoie l'image d'une société toujours centrée sur le travail et pourtant atteinte dans son essence même.

Il est question d'une augmentation générale de l'instabilité et de la précarité. Les jeunes seraient, plus que les autres, touchés par ces phénomènes, ce qui a d'ailleurs entraîné un glissement sémantique généralisé. Les jeunes d'aujourd'hui sont jeunes bien plus longtemps que leurs parents ! Façon de se dédouaner et d'oublier qu'il n'est pas si anodin de dénicher un premier « vrai » emploi à l'âge où la génération précédente avait enfants et maison[11] ?

Les inégalités socioéconomiques seraient croissantes. Inégalités dans la répartition du volume global de travail, qui divisent les actifs en trois groupes : ceux qui « surtravaillent », ceux qui « sous-travaillent » et ceux qui travaillent normalement. Inégalités dans les revenus d'emploi et dans les revenus en général. Et cercle vicieux des inégalités cumulées, qui redonnent aux filiations et aux milieux d'origine une importance que les processus antérieurs de démocratisation avaient quelque peu atténuée.

Du droit au privilège Une société est nécessairement constituée d'un ensemble de mécanismes, de pratiques, de coutumes qui ont pour conséquence commune de relier les gens les uns aux autres, de relier chacun de nous à l'ensemble, sans dissimuler l'existence d'oppositions, de conflits et de marginalités. Les mutations du marché du travail remettent donc en cause toutes les manifestations du *lien social* dont il a été fait état précédemment. Ainsi, la richesse collective se distribue de façon beaucoup moins équitable, les régimes de protection sociale apparaissent aussi débordés qu'inadéquats, les mécanismes représentatifs tournent à vide et laissent sur le côté de la route et sans voix des catégories sociales. Les repères temporels, enfin, qui régulaient tant bien que mal une majorité de parcours, se troublent et s'individualisent.

Plusieurs parlent d'exclusion. Un auteur français[12] préfère le terme de *désaffiliation*, pour bien marquer que le problème pour les personnes concernées est la rupture des liens sociaux, et qu'en outre il s'agit d'un parcours et non d'un point d'aboutissement. Certes, les liens sociaux ne se limitent pas à la sphère du travail mais, pour plusieurs, le travail est « le support privilégié d'inscription dans la réalité sociale[13] ». Et, plutôt que d'exclus, cet auteur parle de « *surnuméraires* », tous ceux-là qui, par rapport à un marché du travail qui rejette plus qu'il n'accueille, sont « en trop », en surnombre, indésirés et non requis. Et la prophétie de la philosophe Hannah Arendt revient en mémoire, elle qui a évoqué le spectre d'une « société de travailleurs sans travail », ceux-là tournant en rond à la recherche d'eux-mêmes.

Est-ce là que nous nous dirigeons ? Le travail est-il sur le point de devenir un privilège ? Le « plein emploi » va-t-il rejoindre aux orties le « droit au travail » ? C'est à ce débat que le prochain chapitre est consacré.

Notes

1. Un précédent ouvrage de la même auteure et dans la même collection faisait la genèse et proposait une analyse de cette revendication syndicale. Voir M.J. Gagnon, 1994 (cf. bibliographie).

2. Voir à ce sujet R. Castel, *op. cit.*, chapitre 6.

3. Sur la définition des temps sociaux, voir Roger Sue, 1994 (bibliographie). Sur l'histoire des temps sociaux, voir Jacques Attali, 1982, *Histoires du temps*, Paris, Fayard.

4. On retrouve l'intégrale dans Fédération des travailleurs du Québec, 1983, *Colloque sur la réduction du temps de travail*, Montréal (la traduction est de la FTQ).

5. Paul F. Lazarsfeld et al., 1981, *Les chômeurs de Marienthal*, Paris, Les Éditions de Minuit (préface de P. Bourdieu).

6. Il serait plus juste et même plus éclairant de parler de *marché de l'emploi*. Nous cédons ici à une coutume langagière qui, comme il en est des coutumes, n'est pas innocente. C'est une façon de ramener à sa dimension économique une catégorie (le travail) qui est beaucoup plus large.

7. Ce fut le cas notamment de la Place de Grève à Paris, qui autrefois bordait la Seine, et qui est aujourd'hui la Place de l'Hôtel-de-Ville. Le terme « grève » y trouve d'ailleurs son origine, en raison des mots d'ordre que se transmettaient les travailleurs à l'effet de boycotter tel ou tel employeur.

8. Sur les marchés du travail comparés, voir J.R. Hollingsworth et P.C. Schmitter et W. Streek (éd.), 1994, *Governing Capitalist Economies. Performance and Control of Economic Sectors*, Oxford, Oxford University Press.

9. Nous ne pouvons faire mieux ici, en raison de contraintes d'espace, que de survoler la question du marché du travail. Par ailleurs, espace ou pas, les données dont nous disposons pour appréhender les mutations qui sont à l'œuvre dans le marché du travail sont terriblement lacunaires. Pour un article-synthèse sur le marché du travail (français), on peut consulter Jean-Pierre Durand, 1991, « Travail contre technologie », dans J.P. Durand et F.X. Merrien (sous la direction de), *Sortie de siècle. La France en mutation*, Paris, Éditions Vigot : 33-75.

10. Pour une présentation des thèses segmentalistes, voir Diane-Gabrielle Tremblay, 1993, *L'emploi en devenir*, Québec, IQRC, collection Diag-

nostic. Pour une critique sociologique, voir Paul Bernard et Johanne Boisjoly, 1991, « Le travail en segments : matrice des protagonistes et rémunération du travail », dans *Sociologie et sociétés*, vol. XXIII, n° 2 : 151-168.

11. Sur la question des jeunes, on peut consulter les articles de M.A. Deniger et M. Gauthier dans *Sociologie et sociétés*, 1996, XXVIII, 1.

12. R. Castel, *op. cit.*

13. *Id.* : 13.

Alors que l'on parlait il n'y a pas si longtemps encore de « plein emploi », il arrive de plus en plus souvent maintenant que l'on se contente de parler... d'emploi. En pratique, les dissensions constitutionnelles et l'impossibilité de rassembler en un même lieu les pouvoirs pertinents constituent le talon d'Achille de la revendication de plein emploi. Le Québec s'écarte également du modèle social-démocrate classique par le caractère très décentralisé des relations du travail et un taux de syndicalisation relativement faible.

Ces dernières années, la revendication syndicale, elle aussi traditionnelle, de réduction de la durée du travail, a repris une certaine vigueur... sans beaucoup de résultats. Le patronat québécois ne veut rien entendre de toute mesure le moindrement coercitive. Les tentatives syndicales réussies de réduction de la durée du travail sont rares. Si bien qu'alors qu'on n'a jamais tant parlé de partage et de solidarité, le temps de travail et les revenus d'emploi sont de plus en plus mal partagés.

Le mouvement syndical s'en tient majoritairement, dans les pays occidentaux, à une revendication de plein emploi, avec une dose plus ou moins marquée de partage du volume de travail, ce dernier étant plus ou moins mis en pratique.

Pas très loin des mouvances syndicales, d'autres réclament le plein emploi en apportant toutefois des nuances importantes à cette notion. Penser que l'on peut tous travailler à plein temps pendant quarante ans ou davantage est devenu une utopie selon certains. Par ailleurs, la situation génère tant d'inégalités qu'elle est inacceptable. La solution passerait donc par une définition moins exigeante du plein emploi... et ici bien sûr les propositions concrètes se diversifient. On parlera, par exemple, de baisse radicale de la durée moyenne du travail hebdomadaire (par exemple, 30 heures). La notion de *pleine activité* est, de même, proposée pour remplacer celle de plein emploi. Il s'agirait d'assurer aux individus un nombre d'années « X » d'emploi à plein temps, le solde pouvant être consacré à du travail à temps partiel, à des études, aux responsabilités familiales, le tout assorti de mesures distributives en sorte qu'un revenu assez stable soit garanti à chacun.

C'est dans le cadre de cette réflexion que l'économie sociale est présentée comme un élément potentiel de solution. Il s'agit des emplois qui se situent en dehors des normes de l'économie capitaliste (coopératives, organisations sans but lucratif et groupes communautaires socialement utiles, plus ou moins subventionnés par l'État...). Certains y voient un secteur qui pourrait développer davantage d'emplois. D'autres craignent que la promotion de l'économie sociale n'entraîne une pléthore d'emplois précaires et mal payés à la faveur de coupures dans les services publics. Les premiers concernés, soit les animateurs de l'économie sociale, sont parfois perplexes devant cet intérêt soudain.

Dans cette vision sociale-démocrate modernisée, l'imagination est donc convoquée pour pallier le manque chronique d'emplois. Une pleine activité repensée, un partage du travail *vertical*[3], qui s'étendrait tout au long de la vie, une réorganisation du travail et des programmes sociaux... autant d'éléments d'un défi que, pour certains, nous n'avons pas le choix de relever. Au-delà de la diversité des suggestions, dans tous les cas, l'ingrédient sans doute le plus nécessaire à une réforme d'une telle envergure serait de la solidarité... à forte dose.

La vision apocalyptique   Pour d'autres, dont il faut avouer que chaque année qui passe leur donne une capacité de persuasion supplémentaire, il est au mieux naïf, au pire stupide, de penser que le marché du travail va éventuellement reprendre la forme d'une équation acceptable entre la demande et l'offre de travail... et qu'il suffirait d'une « grande corvée » pour nous sortir de là. Il n'y aura plus jamais de taux de chômage acceptable et la croissance sans emploi, mauvaise surprise de cette fin de siècle, est là à demeure. Les scénarios « compétitifs » les plus élaborés ne remédieront pas à l'hécatombe des emplois due à la révolution des technologies de l'information et de la communication. Et nous n'avons pas vu, tant s'en faut, toutes les applications possibles de la révolution informationnelle. La mine sans mineurs, l'usine sans ouvriers, un jour ce sera presque vrai. Que nous restera-t-il ? Un nombre, par ailleurs insuffisant, d'emplois mal payés et sans intérêt dans le secteur des services. Un nombre encore bien plus réduit d'emplois de haute volée, à qualification très pointue. L'auteur américain d'un best-seller, Jeremy Rifkin, considère qu'au train où vont les choses dans son pays, en l'an 2000, 40 % des emplois existants auront disparu ; la société sera coupée en deux, entre ceux qui s'épuisent à raison de soixante heures par semaine et les autres qui chôment[4].

Ces scénarios-catastrophes se voient conférés une crédibilité supplémentaire lorsque l'on considère que le problème est devenu international. Au gré des échanges économiques, des délocalisations, de la démographie planétaire galopante et des flux migratoires... c'est la planète entière qui chôme ! Selon R.J. Barnett (1993)[5], en vingt ans, 940 millions de personnes un peu partout dans le monde intégreront – plus exactement tenteront d'intégrer – le marché du travail, dont 750 millions dans les pays sous-développés. Alors ce n'est pas avec des programmes d'apprentissage que l'on réglera le problème ! D'ailleurs, l'Allemagne elle-même, jadis si bonne élève en la matière, ne sait plus quoi faire de ses chômeurs. Et la biotechnologie et autres trouvailles du genre ne nous sauveront pas... la biotechnologie ne crée presque pas d'emplois ! Face à la mondialisation du chômage, verrons-nous les pays riches, où la richesse faut-il dire est de plus en plus mal distribuée, fermer leurs frontières ?

Alors que faut-il faire ? Changer la vie !

Ces réflexions introduisent au point de vue de ceux qui ont « sauté le pas » et pour qui le travail est une catégorie dépassée, qui veulent le « remettre à sa place ». Ce n'est plus simplement une questions de chiffres. C'est un combat politique. Il s'agit d'une contestation globale de la société et de son fonctionnement, d'une vision englobante qui dépasse des revendications en vue, par exemple, de réduire le temps de travail ou de le mieux partager. Ce point de vue a été développé par des post-marxistes[6], par des anarchistes et par des écologistes, et commence à marquer des points au sein de la gauche « traditionnelle[7] ».

La crise du travail

Une rupture paradigmatique   L'économiste Keynes et le philosophe Marcuse avaient peu en commun, en plus de ne pas avoir développé leur pensée à la même époque. Mais tous deux considéraient, pour des raisons différentes, que le travail n'avait pas à demeurer au centre de l'organisation de nos sociétés. Le premier, en 1930, anticipait que, cent ans plus tard, l'humanité aurait fait tant de progrès technologiques qu'il nous suffirait de travailler trois heures par jour. Il prévoyait bien une « période passagère d'inadaptation », du fait qu'il nous faudrait perdre l'habitude du travail. Mais il était confiant que nous saurions nous trouver de nouvelles occupations.

> *« Pendant longtemps encore le vieil Adam sera toujours si fort en nous que chaque personne aura besoin d'effectuer un certain travail afin de lui donner satisfaction[8]. »*

Le second, s'inspirant tout à la fois de Freud et de Marx, estimait que le travail, dans sa forme contemporaine, était un détournement imposé par la société des instincts primaires. Il fallait refuser de se soumettre à cette répression pour retrouver son humanité... et en passant le sens du plaisir. Marcuse disait aussi, à la suite de plusieurs grands auteurs marxistes, que le travail tel que conçu et exécuté dans les sociétés développées constitue pour la plupart un abîme intellectuel, bref le contraire absolu de l'épanouissement[9].

Deux cheminements différents pour arriver à une même remise en cause de l'hégémonie du travail dans nos sociétés. C'est à une rupture paradigmatique qu'appellent ceux qui à la fois diagnostiquent et veulent précipiter une « crise du travail ». L'humanité travaille beaucoup moins qu'avant, notre capacité de produire de la richesse croît à un rythme exponentiel. Pourtant le commun des mortels ne profite pas de cette abondance. L'humanité est engagée dans une fuite en avant qui pousse à la production sans but, à la consommation, mais aussi à la destruction. C'est ainsi que le projet écologiste entend redonner aux valeurs supérieures (culture, art, convivialité, amour, solidarité...) la place prépondérante eu égard aux considérations financières et matérielles. Le productivisme, l'économisme sont dénoncés[10].

Certains auteurs estiment que la logique capitaliste a non seulement transformé en marchandise le travail humain, mais a aussi colonisé ou marchandisé l'ensemble de la vie en société. Nos sociétés d'abondance seraient en mesure de diminuer radicalement le temps de travail et, ce faisant, de continuer à produire suffisamment de richesse. Le travail perdrait sa centralité hégémonique. Il cesserait d'être l'aune à partir de laquelle tout s'évalue. La vraie révolution pourrait enfin advenir, celle qui change la vie et non seulement les structures sociales et politiques.

Les arguments sont de nature économique, philosophique ou politique selon les auteurs. Mais l'unanimité se fait... contre le travail.

Contre les syndicats qui ont traditionnellement revendiqué une amélioration *qualitative* du travail, soit des emplois valorisants et intéressants, les penseurs de la « crise du travail » considèrent l'affaire entendue... et la cause inutile. Le salariat sera toujours une subordination. Le travail vraiment épanouissant ne sera jamais le lot que d'une minorité de privilégiés. Cette inégalité est inacceptable dans la mesure où il s'agit d'une activité qui occupe une très grande partie du temps éveillé. Mais, dans une société où chacun vivrait « autrement », l'accès à des activités épanouissantes serait nécessairement plus démocratique.

Travail et aliénation

45

Cette ligne d'attaque n'est pas sans rappeler les nombreuses enquêtes qui, autour des années 1970, sont venues documenter la nonchalance des salariés. Cela fut le cas particulièrement aux États-Unis, où l'on fit une spécialité des comparaisons entre ouvriers nippons et américains[11].

Dans le même ordre d'idée, la fonction « socialisatrice » du travail est considérée avec peu de sympathie par les penseurs de la « crise du travail ». Le travail étant actuellement une activité contrainte et inintéressante pour la plupart, il n'y a pas de motif de penser que des lieux de socialisation plus intéressants ne puissent être trouvés. Des lieux que chacun et chacune aurait choisis, plutôt que d'être un parmi d'autres qui ont été choisis et rassemblés au gré d'entrevues de sélection et du hasard.

Une redéfinition du lien social   Le projet d'une société qui ne serait plus centrée sur le travail suppose une redéfinition du lien social, de cet ensemble de processus qui rattachent les individus à leur société d'appartenance. Le mécanisme le plus important à concevoir viserait un nouveau partage de la richesse. Actuellement, la plupart de ceux et celles qui n'ont pas de revenu de travail ne voient pas d'autre façon d'améliorer leur sort... que d'en avoir. Le projet alternatif suppose donc que l'on créerait une nouvelle forme de revenu. Plusieurs parlent de *revenu de citoyenneté* ou l'équivalent, auquel chacun aurait droit et qui serait assez élevé pour assurer un niveau de vie correct. Les personnes qui travailleraient « en plus » auraient un salaire « en plus ».

La « démarchandisation » des rapports sociaux et la diminution radicale des activités contraintes transformeraient les besoins et aspirations de la population. Le loisir ne serait plus l'envers chichement distribué du travail. Le temps serait *conquis*, le temps *libre* deviendrait le temps principal dans les valeurs et dans les modes de vie.

Une société qui ne serait plus centrée sur le travail supposerait enfin que soient inventées de nouvelles formes d'expression démocratique. Ainsi, les « acteurs économiques » que sont les organisations patronales et syndicales ne constitueraient plus un incontournable aréopage.

Bien sûr, les questions se bousculent. Comment « choisir » les chanceux – ou malchanceux ? – qui ne « travailleraient » pas ? Comment partager une richesse que le mode de production capitaliste permet au capital d'accaparer ? Et comment bâtir une telle société, qui ressemble autant à la société actuelle qu'un monastère de religieuses contemplatives, sans que l'immense majorité y consente ? Et même alors, comment y arriver sans un État très interventionniste ? Et peut-on faire abstraction du contexte de mondialisation des échanges économiques et des flux migratoires ?

Les nécessaires utopies

Il n'est pas nécessaire de répondre à toutes ces questions. Les utopies, puisque c'en est bien une, sont un oxygène à une époque où les moyens de « faire autrement » semblent désespérément absents. Les utopies ont l'immense mérite de permettre de prendre conscience des problèmes et des absurdités engendrés par notre société. Elles font circuler les idées et alimentent les protestations.

Un débat ouvert

La thèse qui précède a fait l'objet de nombreux débats dans les milieux intellectuels, sans toutefois se diffuser largement dans d'autres milieux. Elle a commencé à être mise en forme au tournant des années 1980 et a connu récemment, par l'intermédiaire de quelques ouvrages remarqués, un regain de popularité.

La riposte s'organise

Des personnes qui s'identifient plutôt à la gauche traditionnelle (social-démocratie) en sont venues à monter au créneau pour vilipender la thèse écologiste[12]. On appelle au bon sens pour faire remarquer que l'immense majorité des jeunes aspirent, tout banalement, à un emploi et à une famille[13]. On craint les effets potentiellement pervers du discours anti-travail, qui peut amener à atténuer la gravité des problèmes d'emploi et d'inégalités. De même, les solutions moins utopiques comme une réduction très importante de la durée du travail ou de meilleures politiques d'emploi peuvent apparaître moins séduisantes... et moins nécessaires, le danger étant que l'utopie anti-travail ne dépolitise le débat et ne détourne de l'action revendicative de nombreuses personnes qui trouvent pourtant inacceptable la situation actuelle du marché du travail.

La place du travail dans la vie

Un aspect du projet écologiste qui s'est attiré beaucoup de critiques est le dénigrement du rôle de socialisation joué par le travail. C'est là aller contre un point de vue très répandu selon lequel le monde du travail, malgré tous ses défauts, demeure un univers de socialisation indispensable.

La famille n'a pas que du bon et peut être un enfermement! Quant aux gens de plus en plus nombreux qui vivent seuls... Et qui a vu des dizaines d'employés dans des dizaines de milieux de travail différents arriver avant le début de leur quart simplement pour bavarder dans une ambiance détendue n'a pas besoin d'être convaincu de la fonction socialisatrice du travail[14]. Qui enfin n'a pas entendu des retraités dire qu'ils ne regrettaient pas leur travail et encore moins leurs patrons mais que le « groupe » leur manquait?

Il est bien difficile d'évaluer avec justesse le rapport au travail des différentes catégories de salariés. Ainsi est-il impossible d'isoler l'impact des changements de l'environnement socioéconomique sur les humeurs.

Toutefois, un consensus semble se dessiner en sociologie autour de l'idée d'un rapport *paradoxal* au travail, un rapport fait de sentiments contradictoires, et cela, toutes catégories socioprofessionnelles confondues.

Mais il demeure que les emplois que l'on a sont lourdement marqués par leur matérialité. Il est vrai que l'on peut présumer que les différents emplois sont plus ou moins intéressants, épanouissants, valorisants... Cela dit, le rapport au travail des individus comporte des aspects mystérieux, qui renvoient à l'opacité de la subjectivité. Les intellectuels ont, par exemple, tendance à trouver que les emplois d'exécution sont par définition peu intéressants, ce qui n'est pas toujours l'avis des intéressés. Il est de toute façon certainement difficile de supporter d'avoir un emploi auquel on ne trouve *aucun* aspect gratifiant. C'est pourquoi les personnes qui trouvent intéressant d'écrire des livres et n'ont pas l'intention d'abandonner cette activité laborieuse portent un jugement marqué par leur identité socioprofessionnelle, lorsqu'elles estiment sans intérêt et sans valeur les emplois de la majorité.

André Gorz, un des penseurs les plus en vue de la mouvance écologiste[15], s'est rendu célèbre en proclamant la disparition du prolétariat, soit une classe ouvrière aux commandes du système productif et éventuellement mobilisable. Certes, la classe ouvrière « traditionnelle », constituée des ouvriers des secteurs primaire et secondaire, est devenue non seulement minoritaire mais aussi fragmentée par la diversification des statuts et conditions d'emploi. Mais cela n'est pas dire que le niveau *général* de la qualification des emplois a monté. La majorité des salariés sont des *salariés d'exécution*, dépourvus d'un contrôle significatif sur leur travail et souvent sans lien d'emploi stable ?

Un projet « sans classes » ?

C'est pourquoi on a reproché à Gorz (et à d'autres) de faire peu de cas des inégalités récurrentes sur le marché du travail, et d'ainsi proposer sans fondement un projet et une réflexion universalisants[16]. Est-il acceptable en effet de parler du travail comme d'une catégorie générale transcendant les contingences ? Les plus cruels ont même reproché à la mouvance anti-travail d'être du côté d'Aristote dans ce débat !

Au terme de cette première partie, accréditons l'existence d'une crise de l'*emploi*, mais continuons à nous interroger sur celle d'une crise du *travail*. Et laissons ces débats pour considérer la matérialité de la condition salariale.

49

Notes   1.   Les auteurs de cette mouvance qui ont eu le plus d'influence en Amérique du Nord, Québec y compris, sont incontestablement Robert Reich et Michael E. Porter. Les idées de ce dernier ont été relayées au Québec par l'ex-ministre libéral Gérald Tremblay.

2.   On trouvera l'explicitation de ce point de vue dans les ouvrages de Diane Bellemare et Lise Poulin-Simon, dans de nombreuses publications syndicales (particulièrement FTQ et CSN) et plus récemment dans Pierre Paquette, 1995, *Un Québec pour l'emploi*, Montréal, Éditions Saint-Martin.

3.   On peut consulter à ce sujet Madeleine Gauthier et Lucie Mercier, 1994, *La pauvreté chez les jeunes*. *Précarité économique et fragilité sociale*, Québec, Institut québécois de recherche sur la culture, et Gunther Schmid, 1995, « Le plein emploi est-il encore possible ? Les marchés du travail "transitoires" en tant que nouvelle stratégie dans les politiques d'emploi », dans *Travail et emploi*, n° 65 : 5-16.

4.   Parmi de nombreuses contributions sur le sujet, signalons Jeremy Rifkin, 1995, *The End of Work: The Decline of the Global Labor Force and the Dawn of the Post-Market Area*, New York, Putnam & Sons. Aussi Ronald Dore, 1994, « Incurable unemployment: a progressive disease of modern societies ? », dans *The Political Quarterly*, vol. 65, n° 3 : 285-301. Et Richard J. Barnett, 1993, « The end of jobs. Employment is one thing the global economy is not creating », dans *Harpers' Magazine*, sept. 1993 : 47-52.

5.   Ce n'est pas un hasard si, dans les pays occidentaux, les propositions de resserrement des politiques en matière d'immigration suivent le rythme de l'augmentation du chômage.

6.   Certaines lectures de Marx autorisent à ranger ce dernier parmi ceux-là. Voir Pierre Naville, 1967 et 1970, *Le nouveau Léviathan*, tomes 1 et 2, Paris, Anthropos.

7.   Au Québec, la revue *Possibles* est représentative de cette réflexion.

8.   John Maynard Keynes (1930) 1971, « Perspectives économiques pour nos petits-enfants », dans *Essais sur la monnaie et l'économie*, Paris, Payot : 137.

9.   Voir en particulier son œuvre majeure, *Eros et civilisation*, 1963, Paris, Éditions de Minuit ainsi que *L'homme unidimensionnel*, 1968, Paris, Éditions de Minuit.

10.   À lire particulièrement pour saisir ce point de vue : Dominique Méda, 1995, *Le travail. Une valeur en voie de disparition*, Paris, Alto/Aubier ; Roger Sue, 1993, *Temps et ordre social*, Paris, PUF ; André Gorz, 1988, *Métamorphoses du travail, quête du sens*, Paris, Galilée.

11.   L'éthique du travail se portait mal. On n'avait pas le cœur à l'ouvrage. Les sombres résultats de l'enquête d'un sociologue britannique (John H. Goldthorpe, 1972, *L'ouvrier de l'abondance*, Paris, Éditions du Seuil) effectuée plus tôt (par amour de la science celle-là) s'avéraient : les ouvriers avaient développé un rapport *instrumental* à leur travail. Ils travaillaient pour gagner leur vie. Et les employeurs, soutenus par les gouvernements, recommencèrent à se demander comment on pouvait rehausser le niveau de cette malheureuse éthique, dont l'insuffisance risquait d'avoir tant de conséquences économiques adverses. La première

grande enquête américaine, qui fit date, fut publiée sous le titre *Work in America, Report of a special task force to the Secretary of Health, Education and Welfare*, 1973, Boston, MIT. La meilleure, et bien plus récente, est due à J.R. Lincoln et A.L. Kalleberg, 1990 ; il s'agit de *Culture and Commitment*, Cambridge, Cambridge University Press, comparaison américano-japonaise.

12. C'est le cas par exemple d'un réquisitoire à plusieurs mains de J. de Bandt, C. Dubar et C. Dejours, 1995, *La France malade du travail*, Paris, Bayard.

13. Une enquête réalisée auprès de jeunes chômeurs québécois, dans les années 1980, faisait ressortir que « l'univers du travail » était « plus présent que jamais dans les représentations... » Voir Madeleine Gauthier, 1986, *Les jeunes chômeurs. Une enquête*, Québec, Institut québécois de recherche sur la culture.

14. Par hypothèse... viendrait-il à l'esprit de gens qui disposent d'une autonomie et d'une liberté de mouvement réelles dans leur travail d'arriver « avant l'heure » pour se socialiser ? Paradoxalement, ce sont ceux et celles qui souffrent d'un manque de liberté dans leur travail qui, en apparence, « font du zèle » en arrivant plus tôt, compensant ainsi la souffrance d'avoir un emploi peu valorisant.

15. On le qualifierait plus justement de post-marxiste.

16. Voir en particulier un numéro hors série de la revue *Alternatives économiques*, 3ᵉ trimestre 1996 (n° 29), intitulé « Les classes sociales font de la résistance ».

Deuxième partie

LA FABRICATION
DE LA CONDITION SALARIÉE

4

La gestion de la main-d'œuvre
en discours et en pratique

La condition salariale

Le travail, on l'a vu, est une représentation, une norme, une valeur et bien d'autres choses abstraites. Il est aussi une *condition*. Par analogie, lorsque l'on parle de condition féminine, on désigne l'ensemble des conséquences concrètes de l'appartenance au sexe féminin sur la vie, la vie de tous les jours comme celle qui nous marque de la naissance à la mort. On parlait volontiers auparavant de *condition ouvrière*. C'est une expression qui tombe tranquillement en désuétude, faute d'ouvriers pour l'incarner. On a lancé l'expression de *condition salariale*, terme plus large qui recouvre l'ensemble des personnes qui vendent leur force de travail contre salaire. Et ne chipotons pas... la condition salariale, c'est aussi le lot des travailleurs à la pige qui vont d'un contrat à l'autre. Celles et ceux que l'on dit précaires partagent largement la condition salariale : ils exécutent ce qu'on leur dit de faire, dans les délais qu'on leur a impartis, et règle générale se considèrent, comme tout le monde, mal payés.

*Gérer
la main-d'œuvre,
gérer
l'inquiétude*

55

Dans ce chapitre et le suivant, nous traiterons de l'évolution de la condition salariale sous l'angle de sa gestion patronale. La parole sera donc donnée aux employeurs, gestionnaires et consultants... avec une dose de sens critique.

Lorsqu'il est question de gestion de la main-d'œuvre, il s'agit, du moins en principe, de l'ensemble des catégories socioprofessionnelles salariées. Mais au départ, la main-d'œuvre qu'on souhaitait gérer, c'était essentiellement la main-d'œuvre ouvrière, la plus nombreuse et la plus inquiétante. Il y avait d'ailleurs peu de salariés hautement scolarisés. Encore de nos jours, la gestion de la main-d'œuvre concerne surtout les travailleurs et travailleuses qui occupent des emplois d'ouvriers, d'employés dans les bureaux ou les services. Ce sont ceux-là dont on craint l'absence de conscience professionnelle ou le manque de motivation.

Une condition qui change

Les conditions, salariale, féminine et toutes les autres, évoluent au rythme des sociétés. Il a été question plus avant des mutations qui transforment le marché du travail. Mais il faut aussi mentionner le déplacement gigantesque des emplois d'un secteur d'activité à l'autre, le secteur des services (tertiaire) regroupant dorénavant presque les trois quarts de la main-d'œuvre[1].

Autre élément que l'évolution combinée du marché du travail et de l'organisation du travail a mis en cause, c'est la traditionnelle distinction entre cols bleus et cols blancs, manuels et non manuels, censée constituer la distinction essentielle au sein des emplois d'exécution. Ainsi, que sont devenus les ouvriers, à part d'avoir été décimés ? Dans certains secteurs d'activité, les survivants recyclables ont vu leur tâche s'intellectualiser et son contenu manuel décroître sinon disparaître. Par ailleurs, le développement du secteur des services a gonflé les effectifs d'emplois assurément manuels (par exemple dans la restauration ou l'hôtellerie) qu'on n'a jamais pour autant nommés emplois « ouvriers ». Enfin, le travail répétitif, qui est encore le lot d'ouvriers et d'ouvrières de production, mais de façon moins importante qu'avant, est devenu celui d'employées de bureau dont le travail est d'alimenter en données un ordinateur jamais rassasié. Bref, si les stéréotypes ont par définition la vie dure, ceux concernant la couleur du col (bleu ou blanc) semblent particulièrement obsolètes.

Dans toutes les économies développées, les catégories socioprofessionnelles qui ont le vent en poupe, sur le plan de leurs effectifs, sont celles des gestionnaires, des vendeurs, des techniciens, des employées de bureau. Robert Reich, secrétaire d'État au travail américain et auteur d'un ouvrage controversé[2], envisageait ainsi l'avenir professionnel de la génération future : les chanceux (ou les futés, au choix) répartis en deux catégories, soit les analystes symboliques (ou manipulateurs de symboles exerçant des fonctions à fort contenu créatif) et les techniciens de pointe... et les moins chanceux, formant ce nouveau prolétariat des travailleurs et travailleuses non qualifiés du secteur des services.

La gestion de la main-d'œuvre consiste très largement dans le contrôle de l'effort de travail. L'histoire des modes de gestion du salariat est donc en grande partie la description de la panoplie de moyens qui ont été utilisés pour contrôler l'effort de travail, pour l'augmenter et pour en améliorer l'efficacité. Et Dieu sait qu'il y a toutes sortes de façons d'essayer d'amener un individu à travailler mieux et plus fort ! Ainsi, en vrac : on peut régler une machine qui forcera à travailler plus vite, on peut fixer des quotas de production ou un nombre de clients à servir, on peut moduler les salaires et les heures de travail, on peut faire des menaces ou des promesses que l'on exécutera ou pas, on peut convaincre et miser sur les slogans et les idées, on peut susciter une compétition entre les salariés... bref, on peut utiliser tant le bâton que la carotte.

Le contrôle et ses contradictions

Mais, derrière cet objectif fonctionnel de contrôle, se dessine une contradiction. Il est bien évident que le meilleur rendement, ou le meilleur effort, sera fourni par le salarié doté d'une conscience professionnelle maximale, d'un sens des responsabilités à toute épreuve... bref, un salarié qui travaille pour gagner son salaire avec autant de zèle que s'il travaillait pour son propre compte et que l'obtention d'un autre contrat en dépendait. Ce salarié-modèle, c'est celui qui cultive l'autodiscipline, c'est celui dont rêvent tous les patrons. Mais voilà, les patrons ne sont pas des rêveurs et s'interdisent même de rêver. Et ils sont aux prises avec la contradiction évoquée précédemment. Un salarié à qui on fait confiance peut se sentir reconnaissant, éprouver un sens accru des responsabilités et fournir un meilleur effort, c'est entendu. Mais ne plus contrôler, c'est prendre un risque impensable... qu'aucune institution, qu'aucun employeur ne prendra jamais. Faire confiance à quelques-uns de temps en temps, oui, mais faire confiance à tout le monde tout le temps, impossible. À chacun son contrôle. Qu'il soit sous forme technique, humaine, informatique, bureaucratique, affective, politique... le salarié est contrôlé. C'est son destin. Comme c'est celui du patron de contrôler.

La sociologie du travail s'est toujours intéressée à cette question du contrôle. Certains ont proposé une lecture évolutionniste des formes de contrôle imposées aux salariés. Au début paternaliste, le contrôle serait ensuite devenu technique et finalement bureaucratique. Un autre a suggéré que le pari patronal était plus qu'avant celui de l'autonomie responsable plutôt que celui du contrôle direct. On a également fait ressortir que les technologies de l'information constituaient une forme nouvelle, et diablement efficace, de contrôle[3]. Les cartes à puce trahissent toutes nos allées et venues et le temps que nous y mettons ; les machines de toute sorte, ordinateur, caisse enregistreuse ou machine-outil, mesurent la vitesse d'exécution et comptent les erreurs ; les caméras vidéo surveillent les employés autant sinon davantage que les clients ou les installations... On est bien loin du simple poinçon.

Une vision nuancée de l'évolution des formes de contrôle est sans doute de mise. Les formes de contrôle s'additionnent plutôt qu'elles ne se succèdent, les moyens se complètent plutôt qu'ils ne se substituent les uns aux autres. Et surtout, il tombe sous le sens que chacun n'est pas contrôlé de la même manière ; on ne peut pas, mais on ne *veut* pas non plus, contrôler un enseignant comme on le fait d'un travailleur manuel.

Le contrôle du temps des différentes catégories salariées a toujours varié selon les statuts. On contrôle davantage le temps des groupes moins qualifiés. Ainsi le poinçon, la signature d'un registre de présences, le contrôle informatique ou visuel, ou le simple contrôle des résultats distinguent les catégories. De même l'existence ou l'absence de congés maladie ou de congés discrétionnaires. De même enfin la possibilité ou l'impossibilité de refuser de prolonger la durée de son travail journalier sans perdre son emploi.

Certes, la réalité est plus contrastée, et l'on sait que les catégories de salariés dont on ne contrôle pas le temps travaillent parfois davantage d'heures que les catégories qui sont payées pour un nombre « x » d'heures. Interviennent en effet, à côté de la mesure du temps, toutes sortes de normes et d'habitudes plus ou moins contraignantes pour les individus.

Il demeure que la mesure du temps de l'employé par une personne en autorité a été une des conséquences majeures de l'industrialisation. Au lieu que de vendre un travail ou un service, le salarié vendait son temps, sa journée, une partie de sa vie qu'il n'était plus libre d'occuper où et comme il le souhaitait. Cette distinction fondamentale recouvre encore la réalité des différents statuts socioprofessionnels. La possibilité de contrôler son rythme de travail est d'ailleurs toujours au cœur des revendications des salariés d'aujourd'hui, et l'impossibilité de le faire est la principale cause du malheur au travail. C'est perdre un peu de son humanité que de ne pouvoir contrôler son temps et de ne pouvoir varier selon ses besoins, ses capacités et ses humeurs, la quantité d'effort fourni.

La discipline, l'évaluation de la performance, l'ordre direct interviennent dans des mesures variables. Et gardons-nous d'envisager de façon statique le contrôle : les formes prises par ce dernier constituent une négociation, aussi implicite que sans fin, de l'ordre social... qu'il y ait des syndicats ou pas[4].

La division du travail   La division sociale du travail est un phénomène vieux comme le monde. Toutefois, c'est avec l'industrialisation capitaliste que la division *technique* du travail est devenue un principe général d'organisation. L'artisan qui bâtissait un meuble à partir de l'abattage de l'arbre jusqu'à l'application d'un vernis protecteur, le paysan qui labourait son champ au printemps et engrangeait sa récolte à la fin de l'été ne sont alors plus des modèles à suivre. Adam Smith, économiste anglais, a ainsi décrit avec une précision ahurissante en 1776 la façon dont on divisait le travail dans une manufacture d'épingles : la fabrication de ces dernières était morcelée en dix-huit étapes réparties sur dix ouvriers.

À quoi donc servait-il de fragmenter ainsi les opérations de fabrication ? C'était naturellement plus efficace. À répéter toujours le même geste, l'ouvrier en contrôlait parfaitement l'exécution et pouvait le faire plus rapidement. Un geste simple demandait moins de temps d'apprentissage qu'une opération complète. Il dispensait également de se déplacer de façon improductive. De plus, à l'époque de la mécanisation, c'est-à-dire l'époque où les machines que l'on inventait n'étaient pas trop futées et ne faisaient qu'une chose à la fois, la division poussée du travail favorisait l'invention, le remplacement de l'ouvrier par la machine ou encore une meilleure productivité de l'ouvrier.

Et finalement, quand on fait toujours la même opération pas trop compliquée, on est facilement remplaçable et on ne vaut pas un très gros salaire. Et quand on se retrouve en quête d'emploi et que la seule expérience dont on peut se réclamer, c'est d'avoir poli la tête d'aiguilles numéro 10 de machine à coudre, on n'a pas beaucoup de qualifications à mettre de l'avant... et on acceptera un salaire en conséquence.

Certains prétendent que ce type de division technique du travail est du passé. Assurément, l'automatisation des processus de fabrication a fait en sorte par exemple que, dans certains secteurs d'activité, les ouvriers surveillent les machines et ne font donc plus de gestes répétitifs[5]. La tendance serait en général plutôt à l'intégration des tâches et à la polyvalence. Mais la fréquence des maladies et lésions musculo-squelettiques associées aux emplois répétitifs, tel qu'en font foi les chiffres de la Commission de la santé et de la sécurité du travail (Québec)[6], est si élevée (la moitié des maladies professionnelles) qu'elle interdit de penser que le travail répétitif est disparu. En fait, ce dernier a trouvé à s'épanouir dans les services et dans les bureaux : qu'y a-t-il de plus monotone que de saisir des données informatiques ?

La division très poussée du travail a été dénoncée par bien des humanistes... et même par des gens qui n'en étaient pas. Après tout, condamner un être humain à faire jour après jour un travail parcellisé, sans intérêt, à perdre littéralement son temps pendant la plus grande partie de sa vie... n'est pas le meilleur moyen d'en faire un employé zélé et motivé. Et adieu l'éthique du travail! Diviser le travail à l'extrême était à l'origine une forme de contrôle, et l'est encore sûrement dans certains secteurs. Mais cela peut devenir contreproductif à l'occasion! C'est ainsi qu'une des nouvelles formes d'organisation du travail qui a le vent dans les voiles à l'heure actuelle est le travail en équipes, en vertu du principe que «dix têtes valent mieux qu'une»... et vingt bras mieux que deux.

Selon des particularités propres aux secteurs d'activité et aux catégories socioprofessionnelles, la division du travail a donc évolué. Selon les statuts d'emploi aussi, car certains employeurs réservent à la main-d'œuvre temporaire ou occasionnelle les tâches parcellisées et peu intéressantes.

On est cependant à des années-lumière de la généreuse utopie qu'on a cru retrouver dans certains écrits de Marx, à savoir l'abolition de la division *sociale* du travail, source d'aliénation et d'exploitation. Et donc abolition de la plus grande source d'inégalités au sein des sociétés. Et du même coup abolition de cette situation qui nous paraît normale sinon souhaitable mais qui n'est pas dénuée d'absurdité : le fait qu'en général les emplois intéressants, épanouissants et qui n'usent pas trop sont les mieux payés... et son contraire. En matière d'organisation sociale, les cercles vertueux ont en effet généralement pour corollaires des cercles vicieux ! Il n'y a franchement pas l'ombre d'une possibilité de réalisation de cette utopie. La division sociale du travail existe partout, et prend la forme d'emplois et de qualifications différents.

Le déferlement tayloriste

Une période de croissance

Frederick Winslow Taylor traversa sa vie adulte dans une période de croissance économique : hausses de productivité, progrès technologiques, électrification, extension des échanges commerciaux, chômage faible, syndicats de métier forts, début de la consommation dite de masse... Tout y était, sauf que selon Taylor les entreprises étaient mal gérées. Et il consacra sa vie à le démontrer à ses concitoyens. Son décès, survenu en 1915, ne lui permit pas de constater que ses idées avaient fait le tour du monde et qu'il avait des émules jusque chez les leaders bolchéviques[7].

Taylor fut le premier Américain d'une longue série à connaître une réputation internationale en matière de gestion[8]. Rien ne prédestinait ce fils d'avocat Quaker à devenir le grand consultant qu'il fut. Privé d'études à cause d'une vision déficiente, il devint ingénieur, après avoir été ouvrier, quasiment par autodidaxie. Cette détermination précoce ne faisait que préfigurer l'obstination et même l'entêtement qui caractérisèrent sa vie professionnelle.

Tout le monde n'a pas vocation de prophète. Et il y a des gens qui préfèrent se taire plutôt que d'énoncer une opinion sentie mais par trop marginale. Taylor ne mangeait pas de ce pain-là. Crier dans le désert, cela ne lui faisait pas peur. Les ouvriers étaient la « spécialité » de Taylor. Ex-ouvrier, il les connaissait par cœur et il rompit si l'on peut dire la « loi du silence ». Selon lui, il était aberrant que les ouvriers ne soient pas davantage dirigés, qu'on leur laisse toute l'initiative sur la façon de travailler. Et c'était d'autant plus aberrant que les ouvriers étaient des paresseux dans l'âme doublés de calculateurs, motivés uniquement par l'appât du gain. Ce triste portrait était encore noirci lorsque *plusieurs* ouvriers se côtoyaient ; l'effort considéré normal par le groupe était celui fourni par le plus paresseux d'entre eux, et le freinage[9] était la norme. La mauvaise gestion des entreprises, en fait l'absence de gestion de la main-d'œuvre, constituait aux yeux de Taylor une catastrophe pour l'économie américaine. Taylor était aussi un prophète de malheur.

Des idées révolutionnaires pour l'époque

Notre ingénieur encore inconnu fit quelques expérimentations *in situ* et obtint des résultats remarquables en termes de productivité. Les ouvriers-cobayes devaient continuer à être des paresseux tendanciels, mais Taylor avait trouvé *la* façon de les faire travailler. Sa méthode tenait en quatre points.

Premièrement, il fallait gérer la main-d'œuvre, c'est-à-dire sélectionner le personnel et affecter chacun au poste qui lui convenait le mieux. Cela supposait un peu de réflexion et d'investigation. Nouveau.

Deuxièmement, il fallait renforcer l'encadrement, nommer donc davantage de contremaîtres chargés de missions spécifiques, la discipline étant l'une d'elles. Important : ne pas commettre l'erreur de promouvoir un ouvrier à un poste de contremaître. Ouvrier un jour, ouvrier toujours, le mauvais pli est pris.

Troisièmement, il fallait que la direction détermine la bonne façon d'effectuer les tâches. Tout le monde a entendu parler du *One Best Way*... On arrivait à l'identifier grâce à des études de temps et mouvements et des ouvriers-cobayes pris un à un. Nul mieux qu'un ingénieur, comme l'était Taylor, n'était placé pour s'acquitter de cette tâche d'analyse.

Taylor a expliqué par le menu et non sans candeur comment s'y prendre pour déterminer le *One Best Way*. Il faut d'abord choisir judicieusement les ouvriers-cobayes ; on préférera les plus habiles ou les plus costauds, c'est selon. On leur fera exécuter une tâche, chacun dans son coin, en notant minutieusement leurs gestes. Il sera ainsi possible de décomposer la tâche en mouvements élémentaires, après quoi chaque mouvement sera analysé, mesuré, chronométré. Les gestes inutiles, mal conçus, qui allongent le processus... seront traqués. Pour finalement déterminer *la* bonne façon de travailler. Ne reste ensuite qu'à l'imposer aux ouvriers.

En dernier lieu, il fallait payer équitablement les ouvriers. Pas tous, bien sûr. Plutôt ceux qui, par un effort accru et un comportement docile, étaient à la source d'un gain de productivité. Mais il fallait prendre garde de ne pas donner de trop fortes augmentations, pour protéger la morale ouvrière. Et rien ne devait être acquis. La prime à la production était donc recommandée.

De quelques faiblesses de l'organisation scientifique du travail

Taylor ne mit guère de temps à faire parler de lui. En mal bien souvent. Les syndicats le dénonçaient, et le gouvernement américain s'en inquiéta, qui mit sur pied des commissions d'enquête à ce sujet à deux reprises. Le verdict de la seconde fut équivoque, quatre personnes sur neuf étant opposées à la méthode que Taylor avait lui-même intitulée « organisation scientifique du travail ». Les gains énormes de productivité n'étaient cependant guère contestables, tellement énormes en fait que les entreprises se trouvaient en situation de sureffectifs quand Taylor passait par là. Il se trouva même des employeurs (la Bethleem Steel) qui se séparèrent de Taylor, lequel s'obstinait à réclamer le licenciement de quatre cents ouvriers.

À l'époque, les reproches adressés à Taylor étaient plutôt de nature politique et éthique. On s'inquiétait des conséquences négatives sur la santé et la sécurité des ouvriers ainsi «poussés à la planche». On trouvait ce système globalement inhumain et méprisant, qui laissait les ouvriers sans défense en face d'une autorité patronale aussi crue. Et allait-il bien de l'intérêt du pays de remplir les rues de chômeurs, au risque de troubles sociaux?

Par la suite, la sociologie du travail, l'ergonomie et la médecine du travail s'en mêlèrent, et firent à l'organisation scientifique du travail un procès... scientifique. On ne pouvait pas imposer une norme de travail en faisant abstraction des différences et attributs individuels. L'absence de prise en compte de l'activité mentale en situation de travail constituait aussi une déficience majeure ; tout manuel qu'il soit, un travail suppose toujours une réflexion. Cette critique allait de pair avec une autre, relative à l'absence de base physiologique sérieuse de la méthode taylorienne quant à la détermination des pauses-repos. En fait, c'est après Taylor que proliférèrent les études sur la fatigue ouvrière. Furent aussi mises en cause les études de temps et mouvements dont on contesta la validité.

Les sociologues décrièrent aussi ce vol caractérisé du savoir ouvrier, et du même souffle on identifia la grande faiblesse de l'organisation scientifique du travail ; il était irréaliste de prétendre exercer un aussi grand contrôle sur les ouvriers. Tous développent des astuces, des trucs, se fabriquent des marges de manœuvre et des espaces de liberté, simplement parce que les ouvriers sont des êtres humains et non des robots. C'est ainsi que furent définies les notions de « travail prescrit », soit la consigne de travail reçue, et de « travail réel », soit ce qui est réellement fait. D'ailleurs, ce qu'on appelle les « grèves du zèle » illustrent ce phénomène. Faire la grève du zèle, c'est en fait respecter à la lettre les consignes de travail, et c'est très inefficace... du point de vue de la performance de travail.

Au travers de toutes ces accusations, il faut quand même reconnaître à Taylor qu'il fut le premier à exprimer l'idée que la main-d'œuvre devait être gérée, ce qui était sensé. Et il n'a tout de même pas inventé la déqualification non plus que la division extrême du travail, soit la parcellisation, qui avaient déjà commencé à sévir. Évidemment, ce ne sont pas des raisons suffisantes pour le trouver sympathique !

Faut-il enterrer Taylor ?
À la suite de toutes ces critiques, on pourrait croire que l'organisation scientifique du travail aurait vu sa carrière faire long feu ; il n'en fut rien. Le siècle qui s'achève fut sans conteste celui du taylorisme. La question que l'on se pose actuellement concerne la disparition éventuelle du taylorisme, mais personne ne met en doute son hégémonie passée. En fait, en bien des milieux, le taylorisme fut « adapté » en sorte qu'il fut quelque peu humanisé. Et la critique sociologique exprimait bien l'impossibilité pratique d'appliquer intégralement l'organisation scientifique du travail.

Mais résistons à l'envie d'enterrer Taylor. Les études de temps et mouvements sont encore très courantes, si elles n'ont pas connu un regain. En effet, à la faveur de l'imitation des méthodes de production japonaises, dans de nombreux milieux de travail on a ressorti les chronomètres, soutenus par des caméscopes ! Bien souvent, on demande aux ouvriers d'effectuer eux-mêmes les études de temps et mouvements, en se filmant mutuellement au besoin, pour finalement déterminer *la* bonne façon de travailler... à laquelle ils sont ensuite invités à se soumettre. « Taylorisme démocratique », comme l'ont dit certains[10] ? Auto-taylorisation, comme l'ont dit d'autres ? Intéressant moyen de faire participer les travailleurs ? Ultime degré dans le contrôle et la répression ? Les lecteurs en jugeront.

Tous en modèle T : Ford

Une nouvelle version du contrôle
À l'époque où Taylor faisait beaucoup parler de lui, Henry Ford construisait des automobiles. Ses ouvriers ne travaillaient pas à la chaîne, mais ils trouvaient présumé-

ment leur travail plutôt ennuyeux et mal payé parce que, loin de se presser au portillon, ils désertaient à la première occasion. Ford était un homme d'idées. Il pensa que si les ouvriers, les siens mais ceux des autres aussi, n'étaient pas assez riches pour s'acheter une automobile, il aurait bientôt épuisé sa clientèle potentielle. Il décida de mieux payer ses ouvriers : ce fut, en 1914, la trouvaille du « *$5 day* », salaire à l'époque avantageux. Et du même coup il se débarrassa de ses problèmes de roulement de main-d'œuvre et d'absentéisme.

À la même époque, et imitant en cela une organisation du travail qui faisait déjà ses preuves dans le secteur de l'abattage des animaux, il introduisit la chaîne de montage dans ses usines... à peu près en même temps que l'augmentation de salaire. C'était là changer radicalement le travail de ses ouvriers : à partir de ce moment, ils étaient immobiles face aux autos qui se déplaçaient sur le convoyeur.... et qui se ressemblaient toutes. C'était le modèle T, l'automobile moins chère, à la portée des bourses ouvrières. La chaîne de montage imposait aussi leur rythme de travail aux ouvriers et leur faisait subir une déqualification radicale. À bien des égards, la chaîne constituait la quintessence de l'organisation scientifique du travail.

On doit enfin à Ford d'avoir popularisé le contrôle de la vie privée de ses ouvriers[11]. Il pouvait décidément tout se permettre ! À la grande honte de tous les sociologues qui se respectent, il mit sur pied un « service sociologique », dont les responsables étaient chargés d'enquêter sur la moralité de ses ouvriers. Ford ne voulait pas d'ouvriers débauchés ou alcooliques. Heureusement, c'était l'époque de la prohibition aux États-Unis, à laquelle Ford tenait beaucoup. Par comparaison, Taylor trouvait cette inquisition ridicule, même s'il n'avait pas une très haute opinion, lui non plus, de la moralité ouvrière.

Dans l'imaginaire de bien des gens, la chaîne de montage représente le summum de l'aliénation ouvrière.

La chaîne de montage

67

Les sociologues étant comme tout le monde, on ne compte plus depuis longtemps ceux qui se sont précipités dans les usines d'automobiles pour le constater *de visu*. Les ouvriers, leurs sentiments et leurs aspirations, ont ainsi fait l'objet de bien des enquêtes, qui l'une après l'autre attestaient qu'il était rigoureusement impossible de trouver un seul individu qui trouvait quelque intérêt à travailler sur la chaîne. Les ouvriers de l'automobile devinrent les symboles de la disparition de l'éthique du travail. Ils étaient – et demeurent, par comparaison – bien payés, mais accumulaient en même temps des frustrations, qui se cristallisèrent à la fin des années 1960 et un peu plus tard dans des conflits ouvriers qui, dans plusieurs pays, acquirent aussi valeur symbolique. Le principal objet de récrimination des ouvriers de l'automobile, c'est la vitesse de la chaîne, que les gestionnaires augmentent sournoisement pour gagner des fractions de seconde et donc une productivité accrue[12].

Un regain d'intérêt envers les usines automobiles marqua les deux dernières décennies. Cet intérêt avait deux points d'appui assez différents. En premier lieu, les Suédois abolirent la chaîne de montage traditionnelle dans deux usines de Volvo ; elle fut fragmentée à Kalmar, usine fermée depuis, et carrément abolie à Uddevala, usine fermée puis réouverte en 1996. Ce fut le départ de nouvelles études. En second lieu, les misères de l'industrie automobile américaine et plus généralement occidentale, comparées aux performances de l'industrie automobile japonaise, jetèrent industriels et sociologues occidentaux sur la piste nippone, lesquels dans leur sillage entraînèrent syndicalistes et ouvriers. On ne compte plus les ouvrages destinés à « expliquer » les méthodes japonaises de production, non plus que les évaluations de tous ordres. Dans cette foulée, les entreprises japonaises ouvrirent des usines dans les pays occidentaux, y introduisant en les adaptant leurs méthodes de gestion.

Pour certains observateurs, la chaîne de montage, quand elle est mâtinée de participation ouvrière, est bien autre chose, en termes d'intérêt, que la chaîne traditionnelle; sans compter que nombre de postes très pénibles sont disparus et qu'en général la technologie a facilité le travail[13]. D'autres pensent exactement le contraire, et soulignent que les ouvriers de l'automobile sont obligés de travailler toujours de plus en plus vite[14]. Quant aux industriels, ils se flattent que les chômeurs et chômeuses fassent la queue pour avoir la chance de travailler dans leurs usines, comme au bon vieux temps du « *$5 day* ». Quoi qu'il en soit, nul secteur plus que celui-là n'aura nourri la réflexion sur la déqualification et l'aliénation ouvrière.

Changement de cap : *l'École des relations humaines*

L'action se passe toujours aux États-Unis. Le pays sort difficilement de la crise économique, les syndicats reprennent du poil de la bête et recrutent. Dans le domaine politique, le président démocrate F.D. Roosevelt fait adopter les lois dites du « *New Deal* », qui consacrent notamment la reconnaissance des organisations syndicales. Le taylorisme n'a plus de détracteurs comme à ses débuts mais, dans les milieux d'affaires, on commence à se préoccuper du moral des salariés. Le courant dit des « *relations humaines* » est, comme son nom l'indique, une tentative de promotion d'une gestion plus humaine ; c'est aussi bien sûr une réponse à l'agitation sociale.

Un contexte difficile

Mais il ne faut pas se méprendre. Ce n'est pas tant l'humanisme qui prend racine qu'un certain bon sens, ou encore une recherche d'équilibre. Comme si l'on se rendait compte qu'il pouvait être désavantageux de ne voir dans la classe ouvrière qu'un gisement de main-d'œuvre à faire fructifier. Le capitalisme bête et méchant n'est peut-être pas si rentable après tout. En fait, une approche plus humaine pouvait faire bon ménage avec l'organisation scientifique du travail. En ce sens, le courant des « *Relations humaines* » s'est plutôt *superposé* au taylorisme qu'il ne lui a succédé.

Le point de départ fut une recherche, gigantesque tant par le nombre de « sujets-ouvriers » et de chercheurs que par sa durée. Elle résultait d'une entente entre l'entreprise

Western Electric et l'Université Harvard. Le « moteur » de la recherche était une interrogation tout à fait taylorienne : il s'agissait d'étudier divers moyens d'augmenter la productivité. Des petits groupes d'*ouvrières* furent ainsi l'objet d'attentions douteuses : on modifiait leurs conditions matérielles (par exemple, l'éclairage) ou financières de travail, ou encore on modifiait la durée des pauses et de la journée de travail... le tout afin de voir si parmi ces changements il y en avait qui étaient plus déterminants. Les résultats furent erratiques, à ceci près qu'on s'aperçut que la productivité augmentait, quel qu'ait été le changement introduit. Les chercheurs en conclurent que le déclencheur de la « surproductivité » était en fait l'attention dont les ouvrières étaient l'objet. Cette « découverte » prit le nom d'*effet Hawthorne*, du nom de la ville où étaient situées les installations de la Western Electric. Les gestionnaires en déduisirent que des travailleurs heureux sont plus productifs.

Le groupe informel   Les chercheurs de Hawthorne allèrent un peu plus loin dans l'analyse. Ils expliquèrent qu'une entreprise est constituée de deux univers. Le premier est celui de l'organisation formelle, dont la vocation et le fonctionnement se déclinent sur le mode de l'efficience ; le second est celui de l'organisation informelle, lequel correspond aux rapports sociaux qui s'établissent entre les personnes que le hasard fait travailler ensemble. À côté donc des organigrammes, il y a cet univers invisible mais peut-être bien plus déterminant, qui résulte du fait que les travailleurs sont des êtres de sentiments et de sociabilité.

Les chercheurs s'aperçurent ainsi que les ouvrières partageaient un code implicite, que chaque membre du groupe connaissait et partageait. Ce code déclinait ce qui était accepté et favorisé par le groupe ou au contraire honni et déconseillé. Cette entente implicite construisait le groupe, lui donnait une identité et en même temps constituait un mécanisme de défense.

70

Cela rappelle Taylor, qui avait lui aussi saisi les mécanismes de socialisation qui sont à l'œuvre au sein des groupes ouvriers. Mais lui n'en avait vu que les aspects négatifs, du point de vue de la productivité. Les chercheurs de Hawthorne, pour leur part, affirmèrent que l'existence de groupes informels était naturelle et saine. Bien plus, les employeurs sagaces devaient les voir comme des liens entre les ouvriers et l'entreprise : le sentiment d'appartenance doit bien s'incarner quelque part, et quoi de plus logique que de l'incarner dans ses camarades de travail ? Il fut donc conseillé de ne pas contrecarrer l'existence de ces groupes informels, mais plutôt d'en comprendre les mécanismes[15] et de canaliser les énergies collectives vers des objectifs potentiellement consensuels, comme la productivité ou le succès économique de l'entreprise.

Il ne faut pas conclure de cette « dérive managériale » que les chercheurs de Hawthorne furent sans intérêt. On leur reconnaît d'avoir mis au monde la sociologie du travail. Il s'agit là des premières recherches sociologiques menées en milieu de travail. Et ces recherches non seulement firent naître bien des vocations de sociologues du travail, mais furent aussi le point de départ d'une accumulation de recherches-terrains passionnantes, qui souvent donnaient la parole aux salariés.

Naissance et ambiguïtés de la sociologie du travail

Il faut donc excuser les chercheurs de Hawthorne d'être graduellement devenus des consultants au service de la Western Electric. Ainsi ils firent passer des entrevues à plus de 20 000 ouvriers et ouvrières au cours desquelles ils notaient doléances et préoccupations. Forts de ce matériel, ils purent donner de judicieux conseils sur les comportements à développer chez les contremaîtres.

Le développement des méthodologies de recherche en a amené plusieurs par la suite à critiquer, voire à ridiculiser, les recherches menées à Hawthorne. Les failles méthodologiques étaient énormes, bien des affirmations gratuites. On s'amusa même à démolir systématiquement les *Hawthorne Studies* en bâtissant des statistiques à partir des données d'origine. Mais il demeure que, sur l'essentiel, les thèses de l'École des relations humaines n'ont pas été rejetées en bloc et ont plutôt servi de point d'appui à de nouveaux développements.

Là où cependant les chercheurs de Hawthorne apparaissent moins excusables, c'est qu'ils ont totalement ignoré l'environnement socioéconomique et les spécificités sociodémographiques de leurs « sujets ». Ainsi ne réfléchirent-ils aucunement aux répercussions possibles de la crise économique sur les comportements, au fait qu'il n'y avait pas de syndicats dans ces usines, qu'il s'agissait d'une petite ville, que les ouvrières étaient des immigrantes de première ou deuxième génération à fort taux d'analphabétisme.

De même, on peut à juste titre leur reprocher d'avoir refusé d'envisager l'existence de tensions, voire de conflits potentiels ou structurels dans l'entreprise. Mais bien sûr, pour ces chercheurs, le conflit était à proscrire et, tout en le taisant, ils ont ainsi contribué à la diaboliser. Autant de déficiences qui, il faut l'avouer, n'ont rien d'anodin.

On touche ici du doigt le clivage qui a jadis été si manifeste en sociologie du travail : celui partageant l'univers des sociologues en « pro-ouvriers » et en « pro-employeurs ». Car l'intervention des chercheurs de Hawthorne suscita l'ire de sociologues de gauche. Quelqu'un a dit que Hawthorne a été le cas le plus flagrant d'une science mise au service du pouvoir[16]. Un sociologue américain, dans un ouvrage décapant, qualifia ce genre de travaux de « *cow sociology* », par analogie avec les agriculteurs qui, quand ils regardent leurs vaches, ne pensent qu'à leur faire produire plus de lait[17]. Il n'avait pas complètement tort en effet ! Et il faut bien avouer qu'à notre époque, il apparaîtrait inacceptable de faire de telles expériences sur des cobayes humains[18].

72

La réorganisation du travail

L'histoire se poursuit avec les «Néo-Relations humaines», terme également consacré, sur la scène américaine bien entendu. Ce courant marqua la période allant de 1950 à 1980[19]. C'est l'apogée de la consommation et du repli sur la vie privée. Mais c'est aussi une période marquée par des conflits ouvriers et par le regain de l'inquiétude au sujet de la fameuse éthique du travail. Comme l'absence d'éthique pouvait avoir de fâcheuses répercussions économiques, on en vint à s'interroger sur le rapport entre l'individu et son travail. Appelons cela satisfaction, bonheur, malheur... c'est la même préoccupation.

Retour vers l'individu

Ce sont, on l'imagine, des psychologues qui tinrent alors le haut du pavé. Ils détricotèrent eux aussi les thèses de Taylor, celles traitant cette fois de la «personnalité ouvrière». Tout le monde a envie de s'impliquer dans son travail et de bien le faire, sauf quelques marginaux atypiques, assurèrent-ils. Le problème n'est pas chez les ouvriers, mais chez les gestionnaires qui ne font pas confiance au personnel ouvrier, lequel saisit le message et se venge de ce mépris par l'absentéisme, un travail peu consciencieux, voire par du sabotage.

Un psychologue du nom de Maslow eut particulièrement de l'influence. Il développa la théorie des besoins qui se manifestent chez les individus dans un ordre chronologique, allant des plus élémentaires aux plus recherchés[20]. Or, disait Maslow, les ouvriers américains sont bien payés, ont un niveau de vie et de consommation raisonnable. Ce qui leur manque, c'est de pouvoir s'épanouir dans leur travail et de s'y sentir respecté. Si on ne leur donne pas les moyens de combler ces besoins, on fait fausse route. Un autre psychologue du nom de Herzberg y alla d'une contribution également très déterminante. Il proposa que les critères de satisfaction au travail sont différents des critères de *non-insatisfaction*. Ainsi, des salariés pouvaient apprécier leur salaire sans pour autant être vraiment satisfaits de leur emploi : ils seraient tout au plus non insatisfaits. Mais donnez-leur un travail intéressant à faire et ils deviendront authentiquement satisfaits. *Aimer* son travail et *s'en contenter*, ce n'est pas la même chose. Voilà l'origine de deux notions qui ont par la suite fait fortune en psychologie et en sociologie du travail : celles des facteurs *extrinsèques* (salaire, possibilités d'avancement, horaires, etc.) et des facteurs *intrinsèques* (tâches, responsabilités, etc.) du travail.

Cette préoccupation sur les moyens d'améliorer les facteurs intrinsèques au travail déboucha sur des propositions et expérimentations relatives à l'organisation du travail, destinées à contrer la monotonie du travail et à le rendre plus stimulant. Il s'est agi par exemple d'élargissement des tâches, soit la combinaison de plusieurs tâches dans un même poste de travail. Il s'agissait toutefois de tâches de même niveau de qualification (entendre plutôt : de déqualification). On allait plus loin dans la revalorisation du travail avec l'enrichissement des tâches qui, comme l'indique le mot, concerne l'ajout de tâches plus complexes. Ce genre de formule visait à introduire des bémols dans la parcellisation et la division du travail.

...*Pour revenir au groupe* À la même époque, des courants parallèles se développèrent, aux États-Unis, mais aussi en Angleterre et dans les pays scandinaves. Par des cheminements différents, on en vint à considérer le *groupe* de travail comme outil pour rendre le travail plus valorisant et intéressant. Il ne s'agissait pas du groupe dans sa version « informelle », mais du groupe comme potentialité concrète de collaboration, de partage des tâches et de stimulation. Ces recherches se cristallisèrent dans un courant *sociotechnique*, dont les fondateurs étaient des Britanniques[21]. Les chercheurs de ce courant proposèrent de nombreux critères de définition d'un travail *intéressant*. Ces critères ne pouvaient être respectés que si l'on prenait garde à la fois à l'environnement technique et à l'environnement social du travail. La formule du *groupe de travail semi-autonome* émergea comme étant la meilleure façon de concrétiser le « travail intéressant ».

74

Cette conception, qui relevait d'une véritable théorie de la motivation et non plus seulement de notions plutôt simples sur la monotonie et la variété[22], est devenue centrale dans la pensée managériale récente sur l'organisation du travail. On invite à offrir aux salariés une autonomie collective nouvelle et des responsabilités accrues, à la faveur d'un allégement de l'encadrement *humain*. Dans certains milieux de travail d'aujourd'hui, c'est en grande partie cela qu'on expérimente et débat.

Dans une grande mesure, les débats actuels autour de la réorganisation du travail s'inscrivent dans le prolongement de ces réflexions, qui ont mis bien du temps à faire partie des préoccupations managériales. À coup sûr, les schémas de réorganisation proposés l'ont toujours été *aussi* sur la base qu'ils permettraient d'atteindre une productivité supérieure. C'est cela que les employeurs recherchent, ce n'est pas le bonheur de leurs employés. Mais tant mieux pour ces derniers si leurs patrons en viennent à se convaincre que leur bonheur est un corollaire d'une meilleure productivité. Piétinons-nous donc depuis 1950 les mêmes plates-bandes ? Pas tout à fait puisque, depuis les années 1980, la toile de fond de ces débats, c'est-à-dire l'entreprise, a changé. C'est l'objet du chapitre suivant.

1. Y a-t-il quelque chose de plus difficile à changer que les catégories statistiques ? Pertinentes à l'origine, les notions de secteurs primaire (ressources) – secondaire (transformation) – tertiaire (services) ne valent plus grand-chose. Point n'est besoin d'un diplôme en statistique pour comprendre qu'une population divisée en trois catégories dont la plus petite vaut 2,5 % et la plus importante 73 % est fort mal décrite.

2. R.B. Reich, 1991, *The Work of Nations: Preparing Ourselves for 21st Century Capitalism*, New York, A.A. Knopf.

3. Dans l'ordre d'apparition des idées de ce paragraphe, on peut se reporter aux travaux suivants : Richard K. Edwards, 1979, *Contested Terrain. The*

Transformation of the Workplace in the 20th Century, New York, Basic Books ; Andrew Friedman, 1986, « Developing the Managerial Strategies Approach to the Labour Process », dans *Capital and Class*, n° 30 : 97-124 ; Soshaana Zuboff, 1988, *In the Age of the Smart Machine*, New York, Basic Books.

4. Pour un exposé pédagogique et intéressant, voir Paul K. Edwards, « Discipline and the Creation of Order », 1994, dans K. Sisson (sous la direction de), *Personnel Management: A Comprehensive Guide to Theory and Practice in Britain*, Oxford, Blackwell : 562-592.

5. Voir le classique de H. Kern et M. Schumann, 1989, *La fin de la division du travail ? La rationalisation dans la production industrielle*, Paris, Éditions de la Maison des sciences de l'homme, et la mise à jour de M. Schumann, 1991, « Large diffusion des nouveaux modèles de production et changement hésitant des structures de travail », dans *Travail et emploi*, 50, 4 : 84-103.

6. « *Une attention toute particulière a été portée cette année aux LATR (lésions attribuables au travail répétitif), phénomène en nette croissance au Québec et dans tous les pays industrialisés.* » Extrait de Commission de la santé et de la sécurité du travail, 1996, *Rapport annuel d'activité 1995*, Québec : 29.

7. Lénine a endossé avec enthousiasme les théories tayloriennes.

8. La gestion a toujours été un champ disciplinaire presque monopolisé par les Américains et par leurs idées. Si bien que faire l'histoire des idées en matière de gestion oblige à adopter un comportement américanophile, que l'idée apparaisse ou non plaisante, et qu'elle nous mène ou pas à l'américanophobie.

9. Certains utilisent le terme « flânerie », qui nous semble une traduction de « soldiering » moins adéquate que « freinage ».

10. Paul Adler, 1993, « Time and Motion Regained », dans *Harvard Business Review*, janvier-février 1993 : 97-108.

11. Il n'était pas à cet égard le premier. Voir Daniel Bertaux, 1977, *Destins personnels et structures de classe*, Paris, PUF, qui a documenté pour la France les pratiques de « paternalisme social » au XIXᵉ siècle. Ainsi que R. Castel, 1995.

12. Parmi une vaste littérature sur l'industrie automobile, citons deux ouvrages d'observation participante : Robert Linhart 1978, *L'établi*, Paris, Éd. de Minuit et le très beau *Flins sans fin*, 1979, de Nicolas Dubost (Paris, Maspero). À signaler aussi : Ely Chinoy, 1955, *Automobile Workers and the American Dream*, New York, Doubleday et Laurie Graham, 1995, *On the Line at Subaru-Isuzu. The Japanese Model and the American Worker*, Washington, Library of Congress.

13. Voir à ce sujet Paul Adler, déjà cité, et G. Bonazzi, 1993, « Qualité et consensus à la Fiat Mirafiori », dans J.P. Durand (sous la direction de), *Vers un nouveau modèle productif*, Paris, Syros.

14. Voir par exemple M. Parker et J. Slaughter, 1988, « Management by Stress », dans *Technology Review*, 91 : 36-44.

15. Ainsi des pauses-repos. Les chercheurs les voyaient non seulement comme des moyens de se reposer et de récupérer son énergie, mais aussi comme des moments privilégiés de socialisation.

16. Il s'agit du sociologue britannique Michael Rose.

17. Il s'agit de L. Baritz, 1960, dans *The Servants of Power. A History of the Use of Social Sciences in American Industry*, New York, John Wiley & Sons.

18. Le livre incontournable qui relate les expériences de Hawthorne est F.J. Roethlisberger et W.J. Dickson, 1964 (1939), *Management and the Worker*, New York, John Wiley and Sons.

19. Selon la périodisation suggérée par A. Huczynsky, 1993, *Management Gurus. What Makes Them and How to Become One*, London and New York, Routledge.

20. Il s'agit, dans l'ordre chronologique, des besoins suivants : physiologie, sécurité, appartenance, estime des autres, réalisation de soi.

21. Le *Tavistock Institute of Human Relations* était situé à Londres.

22. Jugement emprunté à D.A. Buchanan, 1993, « Principles and Practices in Work Design », dans K. Sisson (sous la direction de), *Personnel Management. A Comprehensive Guide to the Theory and Practice in Britain*, Oxford, Blackwell : 85-116.

5

L'entreprise comme univers de référence

La gestion moderniste des ressources humaines

On s'entend pour considérer qu'autour des années 1980, l'image de l'entreprise a changé. À la faveur de ce changement, un nouveau discours sur la gestion des ressources humaines a fait surface, lequel donnait le rôle-vedette à l'entreprise elle-même. Certes, ce ne sont pas tous les employeurs qui ont changé de ton en parlant à leurs salariés. À coup sûr la gestion traditionnelle domine encore[1].

Nous ne sommes pas en face d'une rupture paradigmatique, c'est-à-dire d'un renversement complet des fondements théoriques et politiques de la pensée managériale. Les idées sur la façon de gérer les salariés rappellent fortement ce que l'on prêchait au cours des décennies antérieures. Les sciences du comportement occupent encore le haut du pavé. Mais la conjoncture économique a en quelque sorte conféré un *fondement* au développement d'un sentiment d'appartenance des salariés à l'entreprise. En échange, les idées sur l'octroi de plus grandes responsabilités aux salariés y ont trouvé une nouvelle accréditation.

Des idées à la pratique, il y a un pas, comme chacun sait. Mais oublions la réalité peu connue et constatons l'efficacité médiatique du nouveau discours gestionnaire, dont on nous rebat tellement les oreilles qu'on en vient à le confondre avec la réalité des milieux de travail.

La scène se passe comme d'habitude aux États-Unis. L'économie est déprimée, les gestionnaires encore davantage. Il est devenu de notoriété publique que les Japonais, jadis fabricants de camelote, ont réussi à développer des entreprises ultra-compétitives et à envahir le marché américain, plus généralement les marchés occidentaux. Les Américains ne sont plus les maîtres du monde. L'ego national se porte mal. C'est sur ce fond d'incertitudes et d'angoisses que les *gourous*[2] font leur apparition.

À partir des années 1980, les universitaires un peu ennuyeux qui distillaient la science managériale sont rejoints sur les podiums par des consultants-vedettes, nouveaux grands-prêtres d'une époque en mal de charisme. Une nouvelle littérature envahit les tablettes des librairies et des dépanneurs, pas très loin d'*Échos-Vedettes*, de *Paris-Match* et de *People*. Même les livres de recettes, de jardinage et de puériculture se révélèrent moins bons vendeurs[3]. Beaucoup de ces livres sont en fait les porte-étendards de leurs auteurs et méga-consultants, qui dirigent les multinationales de la consultation ; voilà un premier créneau[4] ! Les gourous y proposent de soi-disant concepts et des théories gestionnaires, à grands coups d'acronymes et d'anecdotes narcissiques. Lisez-en un, c'est comme si les aviez tous lus[5].

Un autre créneau très achalandé est celui des auteurs de best-sellers qui exposent les ingrédients du succès en affaires, à partir de leur cueillette d'informations sur les entreprises[6]. Des formules courtes et imagées permettent une appréhension rapide du message, qui a toujours un rapport avec la culture d'entreprise. Ces formules deviennent informellement brevetées et constituent la marque de commerce des auteurs ou consultants. Test : qui a fait sa

carrière sur la « mobilisation des intelligences », et sur
« l'entreprise du troisième type[7] » ?

En dernier lieu, ont beaucoup de succès également
les livres de dirigeants d'entreprises qui ont manifestement
réussi[8]. Cette fois, il s'agit d'être informés sur la façon dont
eux s'y sont pris. En voici un qui a congédié un cadre sur
deux (pour responsabiliser les employés), un autre qui a
ordonné à ses collaborateurs de jeter tous les papiers qu'ils
avaient sur leur bureau (pour combattre les effets pervers
de la bureaucratisation), et ainsi de suite. La biographie
hagiographique constitue une variante ; il arrive après tout
que les chevaliers d'industrie n'ont pas le temps de dicter
ou rédiger leurs mémoires.

Petite sœur de l'industrie de la consultation, dont le
développement effréné est sans doute lié au fait qu'elle
n'est entravée par aucune réglementation ou code d'éthique professionnel[9], l'industrie du colloque à l'intention des
gestionnaires en manque d'idées et de temps (pour tout
lire) a fait florès un peu partout. Ces colloques sont centrés
soit sur des gourous, soit sur des recettes de succès dont on
nous présente les preuves vivantes. Très souvent, ces recettes sont illustrées d'ailleurs par la présence conjointe
d'un représentant patronal et d'un représentant syndical,
formule qui ajoute une crédibilité supplémentaire à la
narration de la démarche exemplaire.

La science managériale est ainsi devenue, accessoi-
rement, un spectacle, lequel a plus à voir avec le fonctionnement du showbiz ou d'une secte. L'hypothèse, selon
laquelle il faut y voir la réaction à une conjoncture économique non seulement difficile mais tissée d'incertitudes,
est plausible. Ces incertitudes ont d'ailleurs pour effet
inattendu de « détricoter » continuellement les prescrip-
tions des auteurs à succès ; les entreprises exemplaires dont
ils font l'éloge passent souvent en effet de la prospérité aux
calamités en série... Ce qui démontre bien qu'il faut étudier
la question à nouveau et publier d'autres livres !

Trêve de plaisanterie ! Derrière les rideaux rouges et les projecteurs, il y a quand même des idées, voire des constantes. Attaquons-nous d'abord aux dénominateurs communs, qui sont au nombre de quatre.

Un premier dénominateur commun est qu'il convient, après tant d'années de mépris, de remettre les salariés au centre du destin de l'entreprise. N'en sont-ils pas après tout les principaux rouages ? Ne sont-ils pas à la source des succès ? Le gestionnaire moderne doit être humble et même un peu masochiste, se considérer responsable des échecs et mésaventures, mais attribuer à ses employés l'essentiel du mérite en cas de réussite. L'accent est souvent mis sur l'expertise des salariés : ils savent faire fonctionner l'entreprise, ils connaissent ses points faibles. Sans aller jusqu'à leur confier la gestion – il y a des limites à la démocratie ! –, le gestionnaire doit faire appel aux idées, à la créativité... et tout bonnement à l'intelligence des salariés.

Un second dénominateur commun est le corollaire du premier. Le rôle du gestionnaire et des cadres se modifie dans ce passage du mépris au respect. Les dirigeants doivent être des « animateurs en chef », des motivateurs, en plus de tenir la barre du navire. Quand aux cadres qui sont plus directement en contact avec les salariés, ils doivent devenir les « animateurs en second », des faciliteurs, et se considérer comme des relais non seulement entre la direction et les subalternes, mais aussi entre ces derniers et la direction. C'est dire que la conception de la discipline et de l'ordre social change. Les règles disciplinaires demeurent, certes, mais on les présente dorénavant comme des mesures d'en-cas visant à gérer une délinquance appelée à devenir de plus en plus marginale.

Le troisième dénominateur commun, c'est la qualité, royaume au sein duquel la clientèle est reine. Que l'on produise un bien ou un service, le message est le même : on ne vise plus à produire au meilleur coût et à vendre au meilleur prix. Plus exactement, il faut continuer à le faire en y ajoutant un ingrédient capital, la *qualité*... et son corollaire, la satisfaction de la clientèle. Ici, place aux superlatifs. La qualité est un processus, il faut donc « toujours » s'améliorer, être les « meilleurs », les « premiers », ne jamais se tromper, ne pas procrastiner, ne pas bâcler un ouvrage, bien faire la première fois, savoir d'avance ce que la clientèle voudra, et ainsi de suite. L'avenir est aux astucieux, aux rusés, à ce genre de personnes qui concoctaient l'invention du disque compact quand tout un chacun faisait ses délices des disques en vinyle et économisait pour s'acheter un diamant.

Cette insistance sur la qualité est le produit de l'amère leçon servie par l'économie japonaise aux roublards occidentaux. Que les premiers « gourous » de la qualité aient été des Américains ne change rien au fait que ce sont les Japonais qui ont fait de la qualité un mode de vie corporatif, sinon un prêt-à-penser. Quand l'Occident s'est rendu compte que la compétitivité passait désormais par une plus grande attention à la qualité, de nombreux courants se sont succédé et les manuels sur le sujet se sont multipliés. Gestion intégrale de la qualité, qualité totale, amélioration continue, qualité intégrale... tout est dans la nuance.

Alors que, pour le commun des mortels, la qualité s'oppose à la quantité et est donc, si l'on ose dire, « qualitative », il apparut que la qualité, au-delà des nombreuses définitions qu'on en donna, devait impérativement *se mesurer*. La qualité, dans le secteur manufacturier, est l'univers des ingénieurs et des statisticiens. Dans le secteur des services, la recherche de la qualité a pavé la voie aux sondeurs et à toutes sortes de questionnaires, voire au harcèlement des clients, lesquels nous invitent à complimenter, mais aussi à calomnier, sous couvert d'un lâche anonymat, des salariés qui n'ont fait qu'un passage éphémère dans nos vies.

Le quatrième dénominateur commun, c'est l'emballage, le contenant, la philosophie, bref la notion de culture. Les nouvelles idées en matière de gestion des entreprises sont présentées comme des éléments constitutifs de la culture de l'entreprise. La culture n'est plus une notion socioanthropologique[10], mais bien l'enveloppe des idées à la mode. Et comme il y a des idées qui « marchent » et d'autres qui ne décollent pas, il s'ensuit qu'il y a de bonnes et de mauvaises cultures. La culture est en outre le mandat privilégié des gestionnaires ; en matière de culture, c'est à eux qu'il incombe de donner le signal et, bien sûr, de l'incarner. Ce faisant, ils contribueront à transformer la culture de leurs subalternes et donc celle de l'entreprise. Le mot « culture » est devenu un véritable passe-partout : on parle indistinctement de culture de la qualité, de la clientèle, du service, de la responsabilité, et ainsi de suite. Et il n'y a plus moyen de fréquenter les colloques pour gestionnaires – et de plus en plus les congrès syndicaux – sans entendre parler de culture de ceci ou de cela. La culture cultive !

Les formules
privilégiées   La nouvelle pensée managériale s'incarne dans quelques pratiques qui lui sont typiques. Retenons-en trois, qui n'épuisent pas la réalité, et qui chacune à sa façon évoque l'influence des méthodes japonaises de gestion[11].

Il y a d'abord, dans la foulée de la valorisation de l'expertise ouvrière ou salariée, une activité importante de résolution de problèmes en groupes. Il s'agira habituellement de problèmes reliés à la production, mais parfois aussi de problèmes reliés aux rapports sociaux, à l'environnement physique. Les salariés sont donc, plus souvent qu'avant, sollicités à donner leur opinion, voire à identifier les problèmes qui méritent discussion... et formation d'un groupe. On utilisera aussi cette technique pour discuter de réorganisation du travail. L'activité de résolution de problèmes s'appuie sur toutes sortes de techniques, dont certaines qui ne présentent pas un degré très élevé de complexité (comme le remue-méninges), préalablement enseignées aux salariés. Ces derniers sont aussi invités, dans leur travail quotidien, à se demander continuellement comment ils pourraient faire plus et mieux. Les « boîtes à suggestions » ont émergé des placards où elles avaient été rangées.

Ensuite, et dans le même ordre d'idée, on se préoccupe beaucoup de confier davantage de responsabilités aux salariés. Cela permet au passage d'économiser sur la masse salariale des cadres. La responsabilisation découle directement de l'insistance sur la qualité. Il est illusoire de prétendre assurer la qualité par le biais d'un contrôle en aval de la production ; la préoccupation de la qualité doit se retrouver à tous les postes de travail. De même, comment retiendra-t-on les clients d'un supermarché où seul le gérant est courtois et attentionné ? La responsabilisation passe aussi par la promotion du travail en équipes, lequel peut prendre plusieurs formes. On a ressorti des boules à mites la littérature des années 1960 sur les groupes semi-autonomes. Dans une telle organisation du travail, la tâche tend à devenir plus collective, les pratiques d'entraide à se généraliser. De nombreux ouvrages assurent que l'autonomisation des salariés est le meilleur chemin vers la rentabilité. En fond de scène, une analyse typiquement behavioriste, en vertu de laquelle l'octroi d'autonomie déclenche nécessairement – sauf chez quelques déviants – des comportements plus responsables, et surtout cette conscience professionnelle tant recherchée. Comme on n'hésite pas à dire crûment : « Avant, on traitait les salariés comme des enfants... et c'est ainsi qu'ils se conduisaient ».

En troisième lieu, et en lien avec ce qui précède, les pratiques de formation psychosociale se répandent. Quand on entend changer les idées, les attitudes et les comportements au travail des salariés, il peut valoir la peine de leur faire prendre un temps d'arrêt réflexif. Très souvent, des enseignements de techniques, comme celles utilisées dans la résolution de problèmes, sont précédés de leçons sur la conjoncture dans laquelle évolue l'entreprise, sur sa stratégie industrielle et culturelle... dont le succès dépend de la collaboration de chacun sans exception. Dans ces cours, l'expression passe-partout est celle de... « rupture paradigmatique ». Rien de moins.

La gestion moderniste des ressources humaines opère donc une sorte de synthèse entre les préoccupations des courants précédents. Sont au rendez-vous la productivité taylorienne, les rapports sociaux des «*Relations humaines*», l'attention à l'individu des «*Néo-Relations humaines*» et la valorisation du groupe. L'objectif fondamental renvoie à la rentabilisation des entreprises. L'humanisation du travail ne constitue pas un objectif en soi; en fait, l'évolution la plus évidente dans plusieurs milieux de travail, c'est que le travail a augmenté en intensité. Certains diront toutefois ne pas travailler plus, mais travailler mieux, ou encore plus intelligemment. Pourtant, plus qu'une addition d'ingrédients hérités des anciens courants, la gestion moderniste se distingue par l'omniprésence de la figure de l'entreprise. Ce qui vaut bien un petit détour.

L'entreprise : de la réhabilitation à la domination

Place à l'entrepreneur — Chaque époque a ses héros. Le sport est à cet égard généreux, nous fournissant nombre d'idoles. Il est récent que le monde de l'entreprise nous approvisionne en héros. Et pourtant c'est ainsi. Les années 1980, dans toutes les sociétés occidentales, ont proposé des idoles. Chez nous, Maurice Richard et Guy Lafleur ont été rejoints par Bernard Lemaire et ses frères. Il en est ainsi ailleurs.

Ce n'est pas que Guy Lafleur et ses émules ont pâli, ni que Bernard Lemaire se démarque à ce point. Tout simplement, nous avons besoin de héros, et les entrepreneurs arrivent à point. L'État est à bout de souffle et ne veut plus créer d'emplois même si on l'en supplie. Ne nous reste qu'à remettre notre sort entre les mains de l'entreprise privée et de ses leaders, maîtres *ès* entrepreneurship, qui créeront des emplois tout en faisant leur propre fortune. Le profit est réhabilité, devenu non seulement éthique mais encore utile.

C'est que la mondialisation des échanges économiques est passée par là. C'est à qui saura survivre à la concurrence. Et si le capital international n'a que faire du nationalisme, il n'en est pas de même des salariés, caressés à la fois par leur patriotisme d'entreprise et leur sentiment national. Les salariés des firmes nationales, de leur côté, seront tentés de se liguer avec leur direction locale pour tenter de survivre aux mauvaises passes, compétition oblige. Il n'y a plus de lutte de classe ou de conflit patronal-syndical qui tienne : la compétition a rasé tout cela et aboli les distinctions entre propriétaires, dirigeants et employés. Ne demeurent que des établissements industriels, sis dans des territoires où malgré tout s'activent, ou essaient de le faire, des gouvernements de plus en plus impuissants.

Si la figure patronale s'est vue plébiscitée dans la décennie 1980-1990, c'est également conséquence des bouleversements politiques qui ont amené la chute des sociétés dites communistes et surtout la crise de la gauche. Concrètement, et contrairement à ce qui se passait avant, les projets alternatifs au mode de production capitaliste se sont réfugiés dans l'utopie. Les plus audacieux parlent encore de civiliser le capital... rien de plus. Et même cette intention somme toute modeste ne trouve guère à s'incarner. Si bien que le patronat s'est vu délesté d'une grande partie des aspects négatifs de son image.

L'évolution des représentations sociales de l'entreprise s'est répercutée dans la pensée sociologique sur l'entreprise. Jusqu'à récemment, l'entreprise était définie principalement comme l'épicentre des antagonismes de classe à l'œuvre dans nos sociétés. À ce titre, elle était aussi un mécanisme dans la reproduction des inégalités sociales. Comme certains sociologues l'ont souligné, l'entreprise se trouvait en quelque sorte « sous-théorisée », puisqu'elle était considérée essentiellement comme un relais. La recherche sociologique s'intéressait d'ailleurs essentiellement aux salariés, plus étroitement aux ouvriers.

Les nouveaux rôles de l'entreprise

Une « nouvelle » sociologie de l'entreprise s'est développée dans le courant des années 1980[12], qui propose que l'entreprise doit maintenant être considérée comme un acteur social de plein droit. Deux rôles sont particulièrement reconnus à l'entreprise : la création de valeurs et la constitution d'un lien social.

87

Il est incontestable que l'entreprise est un univers où circulent normes, valeurs et représentations. Mais s'agit-il de *l'entreprise* qui crée des valeurs ou plutôt des acteurs sociaux qui y évoluent ? Et puisque l'employeur est la voix dominante au sein de l'entreprise, ne serait-il pas plus juste de proposer que c'est l'*employeur*, à l'échelle microsociologique, qui a envahi le terrain des valeurs et des représentations ? Les mêmes questionnements peuvent trouver leur pertinence à l'échelle macrosociologique. Ne faudrait-il pas plutôt dire que le patronat a obtenu un gain de légitimité qui lui permet d'exercer une influence plus grande sur la société ?

L'entreprise n'est pas une coquille vide, c'est une constellation d'acteurs sociaux. Que l'on reconnaisse ou pas la validité sociologique d'une entreprise « rethéorisée », il est incontestable que les représentations du profit et des employeurs sont devenues beaucoup plus positives. Les employeurs et cadres dirigeants sont maintenant régulièrement, et souvent à mauvais escient, qualifiés d'entrepreneurs, terme à connotation positive[13]. De même est-il incontestable qu'à l'échelle des entreprises les employeurs investissent beaucoup plus qu'avant le champ culturel, où se forment valeurs, normes et représentations. On cherche beaucoup plus qu'avant à persuader les salariés. L'entreprise, par l'intermédiaire de ses porte-parole autorisés, est devenu un objet d'amour. D'ailleurs, il est frappant de voir à quel point, dans les discours officiels des employeurs, l'entreprise est anthropomorphisée : l'entreprise pense, décide, va de l'avant... comme s'il s'agissait d'un être humain *autonome* et *un*, alors qu'au sein de toutes les entreprises il y a des gens identifiés et payés pour... penser, décider et aller (autant que possible !) de l'avant.

L'autre nouveau rôle de l'entreprise est celui de lien social. Certes, ce n'est pas d'hier que certains employeurs souhaitent voir les salariés considérer l'entreprise comme un milieu de vie. Un des pères de la sociologie, Durkheim, qui ne fut guère écouté par ses contemporains, était d'avis que, face au processus de déliquescence du tissu social, l'entreprise était appelée à prendre le relais et à devenir en quelque sorte « communautaire ». Ce thème a été repris par des auteurs managériaux qui, dès les années 1980, indiquaient que les employeurs seraient bien avisés, face à la montée des divorces et de la solitude urbaine, face à la perte de vitesse de l'institution familiale, de faire en sorte de fournir non seulement un emploi à leurs employés, mais aussi un chez-soi, un lieu d'épanouissement. Cette tendance à la « convivialisation » de l'entreprise se situe en lien avec l'exemple japonais, où les salariés plein temps (et généralement masculins) des grandes entreprises sont littéralement « mariés » avec elles : logement fourni, loisirs organisés, etc.

C'est ainsi que de nombreuses entreprises organisent ou financent des activités de loisirs, des garderies, du covoiturage... Des services de soutien en cas de problèmes personnels, problèmes aussi variés que l'alcoolisme, la maladie mentale ou les troubles conjugaux, sont offerts aux employés[14]. Il n'y a plus beaucoup de gens pour qualifier de « paternalistes » de telles pratiques. Il est vrai qu'il s'agit d'un paternalisme passablement dépouillé de ses aspects répressifs. On n'est plus au temps de Ford. Mais l'objet est le même, soit la vie privée des salariés, et l'intention... sans doute aussi.

Imaginez-vous au premier jour d'un emploi dans l'entreprise BZZ. Vous n'en revenez pas de votre chance, vous êtes disposé à trouver tout le monde beau et gentil. Vous venez d'arriver par la grande porte et, pour contrer votre fébrilité, vous faites le tour de l'entrée et regardez tout ce qui est accroché au mur. Il y a : le certificat de francisation (pas très grand) ; un diplôme qui s'appelle Charte de la qualité totale et qui est signé par Robert Bourassa (?) ; une autre apparence de diplôme qui s'appelle cette fois Qualité-Québec signé par le président du Mouvement Desjardins ; encore un autre qui s'appelle ISO-9002 ; la photo du président ; la photo de l'employé du mois (plus souriant que le président) ; une grande plaque en métal noir encadrée de cuivre, dirait-on, où on peut lire

Un univers sociosymbolique

la Mission de l'entreprise, entourée d'une multitude de signatures (celles des employés) ; un panneau en long où il est écrit : « Chez BZZ travaillent les employés les plus fiers du monde » ; une série de graphiques sur base mensuelle illustrant la productivité (la quantité) ; la qualité (nombre de rejets) ; le taux d'absentéisme ; le nombre des accidents... Vous n'avez pas fini de tout regarder mais voilà que la directrice des ressources humaines vient, ainsi qu'à deux autres « nouveaux », vous souhaiter la bienvenue dans la grande famille BZZ. Elle vous dit que sa porte est toujours ouverte et vous emmène faire le tour des installations. En commençant par une cafétéria garnie de plantes vertes dont les menus sont contrôlés par une diététiste, et où il est possible d'avoir des plats hypocaloriques. Après la visite, elle vous remet un porte-documents en vinyle aux couleurs de BZZ, lequel contient : une carte à puce pour le stationnement des employés, une carte à puce pour vos déplacements personnels dans l'établissement, un papier avec le numéro de votre casier, le règlement de l'entreprise (à lire soigneusement, dit-elle), une feuille faussement parcheminée où se déroule la « Mission » de l'entreprise, une épinglette au sigle de BZZ, un T-shirt de taille universelle au sigle de BZZ fabriqué au Bengladesh et, comme vous êtes un homme, une casquette au sigle de BZZ (les femmes, vous dit-elle, reçoivent un petit sac à cosmétiques au sigle de BZZ), une copie du journal de l'entreprise qui s'intitule *Le BIZ*. Et maintenant au travail ! Vos supérieurs respectifs arrivent justement main tendue pour vous chercher, vous et ce magma d'impressions et d'émotions qui s'entrechoquent.

Les entreprises « modernes » sont devenues des univers où la dimension sociosymbolique est prégnante ; on retrouve les messages de l'employeur dans les pages du journal, sur les tableaux d'affichage, sur les formulaires, dans le décor même... Rares sont les entreprises qui n'affichent pas quelque slogan motivateur. Rares aussi celles qui n'ont pas un texte de « mission ». La rédaction d'une « mission » est hautement recommandée par les manuels de gestion, car la mission est le condensé de la (nouvelle) culture de l'entreprise. Les textes des missions, qui ont une forte tendance à la ressemblance, parlent généralement des clients (les personnes les plus importantes), des salariés (presque aussi importants), des produits (de qualité mondiale), de protection de l'environnement, et quelquefois des actionnaires.

Trois messages essentiels sont transmis aux salariés. D'abord on décrit l'univers économique comme étant celui d'une compétition féroce, qui exige des salariés un engagement de tous les instants. Ensuite on fait mousser le sentiment d'appartenance à l'entreprise et on stigmatise subtilement les autres ancrages identitaires : syndicat, atelier... Enfin on présente l'entreprise comme *une* équipe, *une* famille où les statuts ne semblent pas avoir d'importance particulière. En témoignent l'abolition des privilèges « visibles » (comme les meilleures places de stationnement) à l'avantage des cadres, et la disparition, en milieu manufacturier particulièrement, des vêtements ou casques trahissant le rang ou statut socioprofessionnel. Les groupes de résolution de problèmes sont aussi des lieux privilégiés pour exprimer et prouver en quelque sorte que tous sont sur le même pied : les idées n'ont pas de statut !

Plusieurs de ces entreprises à la symbolique performante sont non syndiquées. Mais certaines le sont. Et dans une entreprise dont les employés font partie d'un syndicat fort, les employeurs ont tout intérêt à s'associer à ce dernier, à pratiquer la politique de la main tendue. Parfois méfiants au départ devant ce qui apparaît souvent comme un revirement, les responsables syndicaux en arrivent généralement à accepter de participer à des discussions sur le fonctionnement de l'entreprise et, tout particulièrement, sur l'organisation du travail. Cette association peut aller très loin, jusqu'à reproduire des structures mixtes patronales-syndicales du haut en bas de la hiérarchie. Ce peut aussi être le point de départ d'une réorganisation en profondeur du travail à base d'autonomie et de motivation accrues. À toutes fins utiles, le syndicat joue implicitement un rôle

Les alliances patronales-syndicales

gestionnaire, et les responsables syndicaux en viennent à développer une connaissance très grande des réalités et du vocabulaire techniques et financiers.

Ce dont il est question est relativement marginal et nouveau. Il manque le recul pour évaluer les conséquences de ces fonctionnements sur la cohésion et la force syndicales. Une démocratisation de ce type fait en sorte que les responsables syndicaux doivent inscrire leur activité dans une dialectique perpétuelle, s'identifiant à l'entreprise tout en s'obligeant à garder une distance critique[15]. Les responsables syndicaux doivent aussi conserver une capacité de mobilisation, qui est seule garante de leur poids politique dans l'entreprise. Il ne faut pas dissimuler la difficulté de la tâche. L'enjeu essentiel, pour les syndicats, consiste à conserver leur caractère de pôle identitaire lorsqu'ils sont dans des entreprises où l'accent est continuellement mis sur l'identité corporative ou sur le patriotisme corporatif. Bataille qui peut passer par des événements aussi triviaux que des campagnes de port de T-shirts... à l'effigie corporative ou syndicale.

Les pierres d'achoppement

Peu sont élus   Les entreprises à gestion moderniste prêtent flanc à certains questionnements, voire à quelques critiques. Il y a d'abord le fait assez évident que les attentions gestionnaires, qu'elles s'incarnent matériellement ou symboliquement, ne concernent que les salariés du « noyau central ». Les travailleurs et travailleuses à statut précaire ne sont pas ainsi chouchoutés et dorlotés, ils ne font pas partie de la « famille ». Semblablement, on a fait beaucoup de cas en Occident du modèle japonais d'emploi à vie, jusqu'à ce que l'on nous rappelle utilement que le « modèle » concernait un salarié sur trois et excluait en pratique les salariés âgés et les femmes. Au Canada, un emploi sur deux est atypique, c'est-à-dire à temps partiel, temporaire ou occasionnel.

Qui plus est, cette gestion moderniste va de pair avec une intensification des pratiques visant à externaliser et flexibiliser le plus possible les coûts de main-d'œuvre : sous-traitance, privatisation de services... Et les entreprises qui gâtent leurs salariés vieillissants acceptant de prendre leur retraite à un âge précoce ne remplacent pas ces derniers, règle générale. Si bien que, même en acceptant l'idée que la gestion moderniste fait des entreprises qui la pratiquent autant d'îlots de bonheur où tout est « luxe, calme et volupté », comme disait le poète, il faut garder en tête l'envers de la médaille, soit la dégradation des conditions de vie d'un grand nombre. Comme le signale à juste titre une auteure française[16], une entreprise peut licencier un tiers de son personnel et continuer à briller au firmament des entreprises modernistes. Elle pourrait même... n'avoir aucun salarié régulier.

Certes, la description du monde de l'entreprise qu'a proposée ce chapitre peut n'avoir que peu de résonances pour beaucoup de lecteurs ou lectrices qui n'ont jamais réussi à pénétrer ce type de milieu de travail... et qui, toute comparaison faite, le souhaiteraient peut-être ! Le dépôt d'un montant fixe tous les deux jeudis dans un compte bancaire, fût-il le fait d'un employeur honni, sera pour plusieurs préférable à l'insécurité permanente du travail autonome.

Mais revenons dans l'entreprise et revenons aux « inclus ». Même à l'égard de ces derniers, l'entreprise moderniste n'est pas à l'abri des contradictions. La première contradiction concerne la distribution des pouvoirs formels dans l'entreprise. L'existence de comités, l'attention à la parole syndicale et salariée peuvent certainement augmenter les influences syndicale et salariée dans l'entreprise. À cet égard, il est juste de parler d'une dose de démocratisation. Par ailleurs, il est rarissime que les lieux de prise de décision soient modifiés, il est rarissime que les membres du sommet de la hiérarchie corporative ne soient pas détenteurs des « vrais » pouvoirs : ceux d'investir, d'acheter, de changer la production, de délocaliser, de fermer, de licencier, de créer des emplois, de fixer les dividendes...

Au carrefour des contradictions

93

À cet égard, les mécanismes traditionnels de négociation collective constituent un frein plus efficace, puisqu'il a une portée juridique, au caractère absolu des droits
de la direction. Il suffira aux sceptiques de prendre connaissance des « règlements » des entreprises dont la crudité
tranche avec le ton empathique des « missions ». Les premiers illustrent la dimension autoritaire de l'entreprise à
travers la codification des bons et des mauvais comportements. Les entreprises ont beaucoup à faire pour devenir
véritablement des lieux démocratiques.

Enfin, certains auteurs condamnent sans appel les
discours patronaux modernistes et les qualifient de super-
cherie. Les entreprises, privées et même publiques, sont en
effet mues par des objectifs économiques et toutes les
autres considérations sont finalement quelque peu acces-
soires. Dès lors, il est dérisoire de voir des employeurs
parler des entreprises qu'ils dirigent comme on le ferait
d'un phalanstère ou d'une association philanthropique, en
les faisant passer pour des hauts lieux de convivialité.
Même les mots, dans les discours patronaux modernistes,
perdent leur sens et déforment la réalité ; ainsi du mot
« mission » qui, au sens strict, s'applique à des opérations
de prosélytisme[17].

Du paternalisme
au totalitarisme
Toute mesure démocratique, à commencer par le
suffrage universel, peut être analysée comme une façon
plus subtile d'exercer le contrôle. Il n'y a pas à s'étonner
que, un cran plus loin dans la critique, certains aient dis-
tingué dans la gestion moderniste le stade suprême du
contrôle. Il ne s'agit plus en effet de mécanismes de contrôle matériels ou disciplinaires, donc de mécanismes *ap-
parents*. Il s'agit d'une opération forcément plus sournoise
d'inculcation qui, en plus de l'appropriation des corps
salariés, se lance à l'assaut de la pensée et même de la
psyché, les salariés étant invités à penser et à sentir comme
l'entreprise[18]. On veut « changer les salariés » plutôt que
changer le travail, a-t-on dit[19].

C'est ainsi que les salariés qui, dans de nombreuses entreprises, se font d'ailleurs appeler *membres*, voire *associés*, sont invités à se fondre dans le giron corporatif, à confier leurs problèmes à l'entreprise et à proclamer allégeance à leur équipe de travail et à l'entreprise. Dans certains milieux de travail, on organise à l'intention des salariés des séances de gymnastique ou on leur fait entonner des chants corporatifs de ralliement. Ce qui amène certains à conclure que ce n'est pas de contrôle qu'il s'agit en fait, mais plutôt de *totalitarisme*, contexte dans lequel le salarié n'existe plus comme personne privée et donc douée d'autonomie de pensée. Dans un ouvrage présentant par ailleurs comme supérieur le modèle industriel japonais, lequel a essaimé en Occident, des auteurs américains mettaient en relief les aspects proprement totalitaires de cette organisation gestionnaire[20].

On peut considérer que de telles évaluations pèchent par excès. Il y a en fait d'énormes points d'interrogation pour ce qui concerne l'efficacité des stratégies de gestion modernistes. Après tout, les gens normaux vont au travail pour gagner leur vie, pas pour chanter des chansons et pour se faire dire quoi penser... du moins pas prioritairement pour cela. Même en admettant que les stratégies de gestion relèvent du décervelage, peut-on penser que les gens sont bêtes à ce point ? Ou alors temporairement, mais pas tout le temps ! Ou encore dans une certaine mesure, mais pas au point de devenir fanatisé !

Cette réflexion sur la « nouvelle entreprise » se termine donc avec un questionnement, que l'on retrouvera en chapitre conclusif. La question la plus épineuse à laquelle fait actuellement face la sociologie du travail ne concernet-elle pas d'ailleurs le *sens* qu'il faut donner aux changements qui se dessinent dans les milieux de travail ? Cette réflexion sur l'entreprise nous mène en droite ligne vers un autre questionnement : quel rapport les individus entretiennent-ils avec leur gagne-pain, avec leur travail quotidien ? Demandons-nous donc quels sentiments le travail éveille en nous, quelles répercussions il a dans nos vies, et vers quels comportements il nous incline.

Notes

1. C'est notamment ce que confirment, pour le Canada, les données compilées dans G. Betcherman *et al.*, 1994, *Les transformations du milieu de travail au Canada*, Queen's University at Kingston.

2. Cette expression est empruntée à A. Huczynsky, qui a admirablement (et avec beaucoup d'esprit) documenté l'évolution des idées en gestion des ressources humaines, dans *Management Gurus. What Makes Them and How to Become One*, 1993, London and New York, Routledge. Il ne faut pas se méprendre sur le titre ! C'est l'ultime clin d'œil d'un auteur critique.

3. Selon l'auteur mentionné à la note précédente, pareil engouement constitue un phénomène quasi exclusivement américain... Notre proximité géographique nous empêche peut-être de prendre du recul à cet égard.

4. Selon une étude onusienne, *Management Consulting. A Survey of the Industry and its Largets Firms* (1993), New York, United Nations Conference of Trade and Development, trente-six sur quarante des plus grandes firmes de consultation sont à propriété américaine.

5. Un auteur représentatif de cette catégorie est Philip J. Crosby.

6. Auteurs représentatifs : Peters & Waterman.

7. Réponse : Hervé Seyriex, un consultant français qui nous visite souvent.

8. Auteurs représentatifs : Semler, Lee Iacocca.

9. Pour un exposé plus complet sur cette question, voir Fédération des travailleurs et travailleuses du Québec (FTQ), 1995, *Notre action syndicale et la réorganisation du travail*, Montréal.

10. L'auteure a consacré un développement à ce sujet (chapitre 6) M.-J. Gagnon, 1994 (cf. bibliograhie).

11. Nous sommes contrainte de faire l'économie d'une présentation des modèles de réorganisation du travail dont l'explication des développements est plus longue et plus technique : juste-à-temps, production cellulaire, etc.

12. Voir à ce sujet un article fondateur de R. Sainsaulieu et D. Segrestin, 1986, « Vers une théorie sociologique de l'entreprise », dans *Sociologie du travail*, 1986, 3 : 335-352.

13. L'entrepreneur, au sens strict, est celui qui *risque* son capital dans une entreprise.

14. Ces services, généralement appelés « Programmes d'aide aux employés (PAE) », sont souvent, dans les entreprises syndiquées, administrés conjointement avec les syndicats.

15. Ce thème a été développé plus longuement dans l'ouvrage de l'auteure sur le syndicalisme. Cf. note 10.

16. Il s'agit de D. Méda, 1995.

17. Laurent Laplante, dans un ouvrage décapant, a proposé une analyse de l'idéologie gestionnaire contemporaine. Lecture recommandée comme antidote en cas d'intoxication due à une trop grande ingestion de littérature gestionnaire. Voir L. Laplante, 1995, *L'angle mort de la gestion*, Québec, Institut québécois de recherche sur la culture, coll. Diagnostic.

18. Voir à ce sujet E. Enriquez, 1990, « L'entreprise comme lien social. Un colosse aux pieds d'argile », dans R. Sainsaulieu (sous la direction de), *L'entreprise, une affaire de société*, Paris, Presses de la Fondation nationale des sciences politiques : 203-228.

19. D. Linhart (cf. bibliographie).

20. M. Kennedy et R. Florida (cf. bibliographie).

Troisième partie

LA CONDITION SALARIÉE EN OMBRES ET EN LUMIÈRES

6

Travailler :
souffrance ou plaisir ?

Une histoire d'inégalités

Nos quotidiens laborieux, qu'ils soient modestes ou sompteux, banals ou hors du commun, sont tissés d'une foule de gestes sans importance et auxquels on ne fait pas attention, mais qui tous ensemble forment la trame des différenciations sociales.

Prenons deux exemples simples, deux exemples de début de journée. Premièrement, que se passe-t-il un mercredi ordinaire à sept heures du matin dans la vie des gens qui travaillent habituellement de jour ?

– ils sont déjà au travail ;

– ...ou encore en route ;

– ils s'y préparent frileusement sous la douche... ou plus laborieusement en se confectionnant un lunch... ou plus laborieusement encore en s'occupant d'eux-mêmes et de leurs enfants en même temps ;

– ils décident de dormir encore parce qu'ils ont mal dormi et que le travail peut attendre ;

101

- ils essaient de se rendormir après avoir mentalement confirmé qu'ils sont bien en congé ce jour-là ;

- ils cherchent le sommeil à côté d'un téléphone, en se demandant s'ils seront appelés au travail ce jour-là.

Banalités, à coup sûr, mais qui recouvrent toutes sortes de facteurs de différenciation :

- nous avons un emploi régulier ou pas ;

- nous avons un horaire régulier ou pas ;

- nous avons de jeunes enfants ou pas, et si oui, des petits matins chargés, et d'autant plus que notre horaire de travail ne coïncide pas avec celui de la garderie ou de l'école ;

- nous envisageons la perspective d'un retard au travail comme une catastrophe, une contrariété ou un incident facilement justifiable et donc banal ;

- nous n'avons pas le choix, financier ou logistique, que de nous contenter d'un lunch au repas et donc de le préparer avant de partir.

Deuxièmement, où nous situons-nous dans le vaste univers du « vêtement de travail » ? Se vêtir pour aller au travail est-il un geste qui appelle réflexion, qui s'éternise dans des décisions contraires relatives au choix d'une cravate ou d'à peu près tous les éléments d'une garde-robe dans le cas d'une femme... ou bien se vêtir est-il un geste sans importance et un peu mécanique, étant donné qu'on est travailleuse autonome à la maison ou encore parce qu'au travail on sera habillé comme tous les autres ?

En matière de vêtements au travail, nous nous situons le long d'un continuum rempli de subtilités et de non-dit, qui nous sépare en de multiples conditions :

- on est obligé de s'habiller de telle ou telle façon, par exemple parce qu'il faut s'identifier par le port d'un uniforme (à prestige variable) ou parce qu'il faut se protéger de la saleté ou des matières dangereuses ;

- on suit un code vestimentaire explicite, ce qui est le cas de nombreux emplois dans le secteur des services aux personnes : avez-vous déjà vu un caissier de banque avec une boucle d'oreille ou une caissière en jeans ?

- on suit un code vestimentaire implicite : vous connaissez l'histoire du type qui a dû se bâtir une garde-robe complète en changeant d'emploi et de catégorie socioprofessionnelle ?
- on s'habille comme on veut, selon le caprice de nos humeurs (c'est rare !).

Banalités à coup sûr, mais banalités lourdes de conséquences. La vendeuse au salaire minimum à l'emploi d'une boutique de vêtements n'a pas le choix que d'investir dans son apparence physique une part disproportionnée de son salaire... même en tenant compte des réductions de prix dont elle bénéficie. C'est d'ailleurs le lot de nombreuses femmes au travail, vendeuses mais aussi réceptionnistes ou secrétaires, d'être implicitement considérées comme une représentation ou une façade, soit de l'entreprise, soit du patron. Notre vêtement au travail est donc à sa façon le reflet de notre condition. On peut en être fier ou se sentir quotidiennement humilié par elle.

Et bien d'autres choses tout à fait « banales » pourraient aussi être évoquées et faire l'objet de réflexion. Suggestion de dissertation : « Quand on s'en va au travail, certains partent les mains libres, d'autres avec un portedocuments, une boîte à lunch, une boîte à outils. Signification et conséquences. »

Le travail qui occupe nos journées n'est pas indifférent. Il nous détermine, il nous définit, il nous situe par rapport aux autres. C'est pourquoi il est un *fait social structurant*, et cela tant au plan individuel qu'au plan collectif. Alors, « dis-moi ce que tu fais comme travail et je te dirai qui tu es » ? Oui, dans une très large mesure. Nous *sommes* notre travail, et ce dernier est le principal élément de constitution de notre qualité générale de vie.

Un fait social structurant

Quand on y réfléchit un peu, on s'aperçoit qu'il n'y a pas beaucoup de dimensions dans nos vies qui ne subissent pas l'influence directe de notre travail. Notre niveau

103

de revenu, et donc de consommation, y est relié. Notre lieu de résidence, notre type d'habitat ne sont pas sans rapport avec notre travail.

Nos horaires de travail structurent nos journées, mais encore plus : ils structurent nos vies. Certains peuvent prévoir et donc contrôler leurs heures de travail, d'autres pas. Certains ont des horaires de travail réguliers, d'autres pas. Les premiers peuvent planifier avec exactitude leur vie : la garde des enfants, l'épicerie, les loisirs... À l'opposé, des salariés ayant des horaires irréguliers ou imprévisibles sont non seulement dans l'impossibilité de planifier leur emploi du temps mais ne peuvent pas non plus se permettre des activités légitimes comme de suivre un cours du soir ou de participer à un club de balle molle. Ce sont donc d'une part les occasions de loisirs et les modes de socialisation qui sont directement atteints, et d'autre part les possibilités de développement ou de formation en dehors du milieu de travail. Et ces salariés qui ne contrôlent pas leur temps de travail en font subir les répercussions à leur entourage familial[1].

Le travail qu'on a nous différencie aussi impitoyablement selon les possibilités qu'il nous offre de nous développer intellectuellement et professionnellement. Il y a les chanceux qui, par le fait du travail, apprennent de nouvelles choses, s'instruisent, se perfectionnent... en recevant leur salaire. Il ne s'agit pas seulement d'avoir accès à une formation professionnelle en bonne et due forme mais aussi d'occuper un emploi tout simplement qualifiant. Là aussi, c'est une affaire de degré. Mais chacun sait que bien des emplois ne sont guère propices à l'épanouissement personnel. Assurément on apprend partout, mais pour plusieurs l'apprentissage est affaire de quelques jours ou même de quelques heures, et la routine s'installe ensuite en compagnie d'un sentiment de piétinement. Pour ceux-là, l'expression « perdre sa vie à la gagner » prend tout son sens.

Lorsque l'on tente une synthèse de toutes les conséquences que notre identité socioprofessionnelle entraîne dans nos vies, on ne peut éviter une catégorie d'analyse très globale, celle du *statut social*. Pensons aux sondages massifs que nous servent régulièrement les firmes spécialisées, et qui consistent à demander aux gens à quelle catégorie socioprofessionnelle ils font le plus confiance, ou laquelle est la plus respectable. Les chefs d'entreprise, les policiers ou les médecins ont plus de chances que d'autres d'être en tête du peloton, alors que les politiciens, les sénateurs et les chefs syndicaux risquent fort de fermer la marche.

Foutaise ? À certains égards oui, mais ces sondages – et leurs résultats – illustrent à leur façon la notion de statut social. Des sociologues ont ainsi classifié tous les métiers et bâti des catégories en utilisant des critères comme la scolarité requise, le revenu moyen et le prestige. Autant de données qui varient d'une époque et d'une société à l'autre... mais à l'intérieur de certaines limites. Il y a peu de risques que les chirurgiens soient déclassés et que les vendeurs de voitures d'occasion se retrouvent au sommet. En fait, dans les palmarès genre *top ten*, les catégories socioprofessionnelles représentant la majorité de la population active sont absentes, car leur statut social collectif laisse à désirer.

Autre fait bien connu. Ceux qui exercent une profession libérale ou possèdent un diplôme respecté ne s'identifient pas par le nom de leur employeur. Alors que d'autres qui appartiennent à une catégorie socioprofessionnelle peu cotée tendront davantage à s'identifier en disant : « Je travaille à... » Et ces nuances qui nous sont si familières nous suivent jusque dans nos pertes d'emploi. Un ouvrier non qualifié ou une vendeuse en chômage... est un sans-emploi. Un ingénieur en chômage... demeure dans son malheur un ingénieur. Il possède une identité qu'il lui plaît d'afficher, qui lui donne une reconnaissance aux yeux de la société. De la même façon, un jeune de 25 ans qui a pour tout bagage un diplôme de secondaire V mais possède plusieurs années d'expérience de travail non qualifié est un jeune chômeur. Par contre, la jeune fille du même âge qui n'a aucune expérience de travail mais un diplôme de deuxième cycle en sociologie est une jeune sociologue en chômage. Quel que soit le degré d'injustice – et d'illusion – associé aux échelles de prestige, elles n'en témoignent pas moins d'une réalité qui a caractérisé toutes les sociétés : la catégorie socioprofessionnelle est discriminante et source d'un niveau variable de statut social.

Les échelles de prestige et les conventions langagières ne disent pas tout. Nos catégories socioprofessionnelles d'appartenance déterminent aussi très largement notre revenu, et par là notre niveau de vie ainsi que la façon dont nous décidons de dépenser notre argent. Nos décisions en apparence les plus privées, comme le choix d'un film ou d'une sortie au cinéma, au bingo ou à l'église, entretiennent un rapport avec notre catégorie socioprofessionnelle. C'est en fait de classe sociale qu'il s'agit ici. Pour plusieurs dont l'auteure, il s'agit là d'une notion qui a encore tout à fait sa place dans le paysage analytique[2].

Nos identités socioprofessionnelles et nos destins de travail portent enfin des conséquences pour nos enfants. Les études en sociologie de l'éducation sont sans appel ; nos origines familiales nous pourchassent. Chacun peut citer des exceptions : le fils de concierge devenu juge, la fille de juge devenue coiffeuse, le commis de bureau devenu millionnaire après avoir acheté une compagnie d'autobus en faillite, la prolétaire devenue princesse du fait d'un mariage approprié, le décrocheur issu de l'union de deux médecins spécialistes. Mais la loi des grands nombres n'a que faire des exceptions et des anecdotes. Capital financier, capital culturel, capital scolaire... autant de richesses que l'on a ou pas, autant d'héritages positifs ou négatifs laissés à nos enfants.

Tous en meurent mais...   Nous sommes tous mortels et tous menacés du cancer des poumons si nous fumons. Mais la recherche a quand même démontré qu'en matière de santé également l'inégalité fait sa marque[3]. Les cercles vicieux font que la malchance engendre la malchance, et l'inverse est rigoureusement vrai. L'inégalité commence à se manifester avant même que de naître, et à chaque âge de la vie nos destins initiaux risquent de se voir confirmés. La santé, ce n'est pas seulement d'échapper à la maladie, ce sont aussi des habitudes de vie saines : alimentation équilibrée, exercice physique, loisirs actifs... Toutes choses sur lesquelles pèse le travail qu'on a. Le travailleur de peine fait rarement du jogging. Les femmes qui travaillent debout toute la journée non plus. Et la santé, de même que la longévité, s'accommode mal de la pauvreté, données comparatives à l'appui. Tellement que de nombreux chercheurs sont d'avis que, pour hausser le niveau de santé moyen d'une population, il faut privilégier les dépenses sociales susceptibles de réduire la pauvreté et ses conséquences, et cela au détriment des dépenses dans le système de santé.

Il n'y a pas de données québécoises récentes sur le lien entre activité professionnelle et indicateurs de santé générale. Par ailleurs, on dispose de données géographiques qui indiquent qu'au palmarès (négatif) de la mauvaise santé les populations des villes axées sur l'exploitation et la première transformation des richesses naturelles sont en compétition avec les populations pauvres des villes. Difficile de penser que la nature du travail des mineurs, travailleurs forestiers ou ouvriers de la sidérurgie n'est pas pour quelque chose dans cet état de santé qui laisse à désirer.

Ce qui vient d'être évoqué concerne l'état de santé général. Toutefois, beaucoup de problèmes de santé n'en sont pas moins reliés au travail. Par exemple, des problèmes de vision peuvent découler d'une sollicitation continue des facultés visuelles. Ou encore des troubles du sommeil ou du système digestif peuvent-ils être reliés à toute une vie de travail selon des horaires alternants ou irréguliers. À vingt ans, passer une nuit blanche est parfaitement tolérable, mais voilà une marque d'endurance qui disparaît graduellement ; à horaires irréguliers qui perturbent l'organisme, usure prématurée. Usure prématurée aussi pour les titulaires d'emplois très durs physiquement ou mentalement. Usure prématurée enfin chez ceux qui, pour supporter une pratique intensive d'heures supplémentaires et le manque de sommeil, recourent aux drogues, aux médicaments et à l'alcool.

Les risques de décès brutal reliés aux différentes catégories socioprofessionnelles ont également été documentés. C'est en travaillant comme ouvrier dans le bâtiment et les travaux publics qu'on risque le plus de perdre la vie accidentellement au travail. Mais les mineurs ne sont pas très loin derrière. Certaines maladies reliées officiellement au travail nous menacent, selon que l'on fait partie de telle ou telle catégorie socioprofessionnelle. Ainsi, les personnes qui travaillent sur ordinateur sont-elles fréquemment victimes de maux de dos et de toutes les maladies en « ite » (tendinite, bursite, etc.). Les mesures préventives ont permis de mettre fin aux scandales que furent l'amiantose ou la silicose. Mais les troubles musculo-squelettiques reliés au travail répétitif ou la surdité partielle et totale du fait d'un environnement de travail bruyant sont encore le lot de milliers de travailleurs et travailleuses.

Nous n'y pensons pas toujours, mais certains gestes qui sont anodins si on ne les exécute que quelques fois par jour, ou certains levers de poids qui sont acceptables s'ils n'interviennent pas souvent, deviennent des facteurs élevés de dangerosité pour ceux et celles qui les exécutent à répétition et toute leur vie. Et l'âge ne fait qu'accentuer la vulnérabilité à des conditions dangereuses de travail. Si bien que la retraite n'a pas la même durée ni la même signification pour chacun ; ceux et celles qui ont le moins de chance d'en profiter sont aussi ceux et celles qui auront eu les emplois qui les auront davantage « usés ».

Ces dernières années, une prise de conscience s'est développée eu égard aux problèmes de santé mentale reliés au travail. De nombreuses recherches en accréditent l'existence et ont mis en lumière que des emplois « apparemment » non dangereux peuvent être très *destructeurs*. Les problèmes de santé mentale peuvent être reliés à des conditions générales de travail: extrême déqualification, harcèlement sexuel, surcharge... Mais celui ou celle dont la vie professionelle est réussie et stimulante peut aussi être aux prises avec des maladies de l'âme. L'entreprise moderne, et le marché du travail en général sont tellement axés sur la compétition que plusieurs en viennent à ne plus pouvoir supporter ce stress permanent[4].

Des réactions diversifiées

Pour oublier ces tristes réalités, rien ne vaut les résultats d'une enquête sur la satisfaction au travail ; ils seront inévitablement encourageants... dans un premier temps !

La satisfaction : sincérité, es-tu là[5] ?

Depuis longtemps, les employeurs procèdent à des enquêtes de satisfaction auprès de leurs employés. Question de connaître le climat, de distinguer l'ouverture au changement, d'identifier les secteurs ou catégories particulièrement moroses. La satisfaction est la mesure d'un sentiment qui, comme tous les sentiments, est individuel. On parle couramment de satisfaction d'un groupe, pourtant il ne s'agira jamais que de l'addition de sentiments individuels. Mais on est d'autant plus fondé de mettre en rapport le groupe et le niveau de satisfaction que ce dernier est réputé varier selon les catégories socioprofessionnelles et les milieux de travail.

Mais les variations sont relativement faibles. Il est en effet une constante en vertu de laquelle l'immense majorité des sondés se disent, enquête après enquête, satisfaits en général de leur travail... même s'ils en critiquent tel ou tel aspect. L'aspect le plus important au palmarès du bonheur au travail, c'est l'autonomie. Pas étonnant donc que les ouvriers des chaînes de montage soient réputés pour leur moral à la traîne. La qualité des rapports sociaux, la possibilité d'en avoir apparaissent aussi très importantes.

Mais pourquoi donc nous plaignons-nous tant, dès que nous parlons de notre travail, pour répondre ensuite aux enquêteurs que nous en sommes globalement satisfaits ? Comme dans tous les sondages, il y a une part de mystère là-dedans ; ce qui en amène d'ailleurs à dénigrer en général les sondages. Quand on répond à une question sur notre travail, on pense à tout autre chose : des situations hypothétiques, des comparaisons... Chacun tend à se comparer à du comparable. Personne ne dit : « Je suis malheureux au travail parce que j'aurais voulu être le sultan de Brunéi ». Cela étant dit, l'enquêteur ne connaît pas les catégories de référence des interviewés et n'a, pour disserter, que le résultat d'une réflexion par ailleurs complexe et cachée.

En fait, le niveau de satisfaction à l'égard d'un emploi n'est pas le simple résultat d'une évaluation. La satisfaction est un processus en vertu duquel on évalue son travail à partir des attentes que l'on avait ou que l'on a encore. Sans doute le niveau des attentes baisse-t-il avec le temps, ce qui explique que l'ancienneté de service soit positivement associée à une satisfaction plus élevée. Mais les attentes que l'on développe sont celles d'un être social, doté d'une position de classe qui le rend plus ou moins exigeant, lourd d'une situation personnelle (par exemple la scolarité) qui module également l'attente. Enfin, l'environnement socioéconomique compte pour beaucoup. Par les temps qui courent, avoir un emploi, quel qu'il soit, est de plus en plus perçu comme une chance... alors, s'en déclarer insatisfait peut revêtir des allures d'absence de conscience sociale.

Au-delà de la « mécanique » de l'enquête de satisfaction, qui pose évidemment des problèmes et surtout celui du « non-dit », certains ont critiqué de façon plus radicale la notion de satisfaction telle qu'appréhendée par les sondages. Le travail qu'on fait, l'emploi qu'on a déterminent notre statut social, notre revenu... en somme il a beaucoup à voir avec le sentiment général de réussite par rapport à sa vie. Que voilà un sujet *intime*, trop peut-être pour qu'on en traite dans un questionnaire désincarné et anonyme. Mais que voilà aussi une question *menaçante* : dire qu'on est insatisfait d'un travail auquel on s'accroche depuis vingt ans est un aveu d'impuissance et d'échec pour le commun des mortels.

Voilà pourquoi certains sont allés jusqu'à dire que, dans les conditions actuelles du marché du travail, pour la plupart des gens, la satisfaction est une notion illusoire et pernicieuse. La « satisfaction » est essentiellement la preuve que, au plus grand avantage de notre santé mentale, on s'est adapté à une situation au départ pas du tout réjouissante, en vertu de mécanismes de compensation dont chaque individu a le secret. Il y a tant de façons de se consoler : en dépensant son argent quand on a un bon salaire, en cultivant les rapports sociaux avec les collègues de travail, en haïssant activement ses supérieurs, en payant à ses enfants de longues et coûteuses études... Il est même arrivé que des groupes se déclarent globalement satisfaits de leur travail, alors qu'ils évoluaient dans des milieux marqués par de forts taux de roulement, d'absentéisme, et même par du sabotage... Bref, nous voilà au cœur des mystères et des misères de l'âme humaine.

La révolte, quand elle s'installe pour longtemps et qu'elle se conjugue à la première personne du singulier, n'est pas le plus sûr chemin vers le bonheur ou même plus modestement vers l'absence de malheur. C'est pourquoi *l'accommodement* concerne beaucoup d'entre nous. Certes, il s'en trouve pour aimer vraiment leur travail. Mais si notre travail est plus ou moins « aimable », autant s'en accommoder.

L'accommodement, pourquoi pas ?

Le cas des ouvriers à la chaîne, dont personne n'a osé dire que leur travail était « aimable », a été bien sûr particulièrement étudié. Science à part, la blague de l'« auto du lundi » ou de « celle du vendredi » qu'il vaut mieux ne pas acheter est bien connue et correspond aux expériences de vie de tout un chacun. Baldamus[6], sociologue britannique au nom de légionnaire romain, proposait ainsi qu'en début

111

de semaine l'ouvrier ressent un sentiment de privation. Les heures passant, on se fabrique une sorte de satisfaction relative, en se laissant emporter par le rythme, en devenant absent à ce qu'on fait, en essayant même de dominer la cadence, en allant plus vite que la chaîne... « C'est tellement con comme travail que je peux penser à autre chose, et ça c'est bien »... ultime et dérisoire appréciation d'un travail sans espoir, qui motive aussi le refus de la rotation des tâches, laquelle empêche le repli en soi-même.

Le travail à la chaîne n'est pas notre lot à tous. Mais l'expérience de plusieurs, c'est aussi d'aller travailler en traînant de la patte le lundi, c'est encore la désolation extrême au retour de vacances qui nous ont semblé trop courtes et nous ont laissé étrangement fatigué. Alors, que faire ? S'adapter, se fabriquer des petites consolations. Parmi les stratégies possibles, il y en a une, universellement pratiquée et praticable, qui concerne l'appropriation de notre espace[7].

L'espace en milieu de travail a une première signification évidente : il est un message de statut. Plus on est au sommet de la hiérarchie, plus notre espace est grand, et plus aussi il est clos. Les très haut placés n'ont qu'à fermer leurs portes pour être invisibles. Ils peuvent même fumer dans les entreprises qui l'interdisent. Ce qui leur permet de déclarer avec superbe à leurs subordonnés qui ne disposent d'aucune cloison pour se rendre invisibles : « Ma porte est toujours ouverte. » Cela se veut gentil ! La visibilité se décline selon d'infinies nuances ; on est exposé à tous les regards sur un plancher de production, dans un bureau à aires ouvertes ou dans un magasin ; on arrive à se dissimuler un peu dans des bureaux où l'on utilise des cloisons amovibles et à se dissimuler beaucoup lorsqu'on est doté d'un bureau fermé percé d'une fenêtre. Quant aux généreux de la « porte ouverte », ils ont le loisir d'être totalement invisibles.

L'espace en milieu de travail est donc une histoire d'inégalités, mais cela ne l'empêche pas d'être aussi un

112

élément stratégique d'adaptation. Et quel que soit l'espace, chacun peut s'en approprier un morceau. N'est-ce pas un petit plaisir, lorsqu'on dispose d'un espace à soi, d'y retrouver des objets décoratifs qui nous renvoient à des gens et à des choses que nous aimons, à des idées qui nous sont chères... et qui n'ont rien à voir avec le travail ? Certes, certains critères de décoration sont parfois imposés par les employeurs, et les membres de certaines catégories socioprofessionnelles semblent consentir à des normes implicites : tous les cadres masculins ont une photo en évidence présentant femme et enfants... Mais il y a nécessairement une touche personnelle, une tasse apportée de la maison, une affiche, un souvenir de voyage... Chacun et chacune nidifie, s'approprie son espace, le marque ; contre l'anonymat, contre le mépris parfois.

Mais que faire lorsqu'on est en manque d'espace ? On colonise l'espace du classeur voisin, on met une affiche ou un autocollant sur sa machine, on pique un calendrier au mur. Pour ceux qui sont dépourvus de tout espace ou dont l'employeur a proscrit toute marque d'appropriation, le refuge est l'intérieur de la porte du vestiaire ou encore du couvercle de la boîte à lunch ou de la boîte à outils. L'espace peut aussi faire l'objet d'une appropriation collective : ainsi des cantines ou lieux de repos en milieu de travail. Dans les usines à population masculine, un « classique » de décoration est la *pin-up* dénudée. Message sur la sexualité ou mode d'humanisation d'un univers anormal puisque dépeuplé de femmes[8] ?

Si chacun dans une certaine mesure développe des stratégies d'adaptation à son travail, ce n'est pas dire que la contestation nous soit étrangère. Une dose de contestation est compatible avec l'adaptation. Les salariés ont des trésors d'imagination lorsqu'il s'agit de contester... et lorsqu'on adopte une définition large de la contestation.

La contestation : de multiples formes

Une gamme très vaste de comportements peuvent relever de la contestation. Changer d'emploi est un moyen radical de rejet, mais peu accessible lorsque le marché du travail est en déliquescence. Demeure l'absentéisme, bête noire des employeurs. Des études ont fait des liens entre le rejet du travail et la maladie psychosomatique, et même avec des accidents de travail effectifs ou frôlés de près. Et bien sûr, on peut contester en travaillant mal tout simplement, en sabotant, fait plus rare, ou même en attirant publiquement l'attention sur les travers et manquements à l'éthique des dirigeants de l'entreprise qui nous emploie[9]. On ne recourt pas instinctivement à l'une ou l'autre forme de contestation. Il s'agit d'un choix logique et réfléchi. Tout bêtement, on conteste comme on peut, c'est-à-dire comme il nous est permis de le faire avec un minimum de pénalisation. Re-bonjour les inégalités. Il y a des gens qui sont pénalisés pour leurs absences, au plan salarial et même au plan disciplinaire ; la présence au travail d'autres personnes n'est même pas contrôlée. Il y a des gens qui n'ont pas le droit de ne rien faire au travail même quand ils n'ont rien à faire, d'autres qui font des mots croisés ou qui téléphonent à toutes leurs cousines sans se gêner. Tous tant que nous sommes évaluons donc la conjoncture : « En cas d'écœurement, comment puis-je me "venger" le plus efficacement sans pour autant être pénalisé par ma vengeance ? »

L'accès à la contestation n'est pas le seul résultat des règlements et de la discipline imposés par la hiérarchie. La contestation individuelle, si elle demeure une prérogative personnelle, s'inscrit dans un contexte de socialisation. Il existe en quelque sorte un répertoire des formes de protestation socialement admises. Les politiques d'entreprises ne tiennent pas toujours compte du terreau social dans lequel ont germé les ras-le-bol individuels. La frontière entre les contestations individuelle et collective est intangible. À ce jour, la meilleure façon d'accéder à la contestation collective est de faire partie d'un syndicat. Mais pour que syndicat il y ait, il faut qu'une majorité, en son for intérieur, le souhaite ou y consente. Autre manifestation de l'indissociabilité de l'individuel et du collectif en milieu de travail.

La complexité du rapport au travail

«Dans chaque travailleur se dissimule en général une
souffrance qui ne demande qu'à se changer en curiosité et
en intérêt pour le travail bien fait.»
(C. Dejours, 1990 : 695[10])

La gestion
de la souffrance

Pour l'auteur cité en exergue, la souffrance caractérise la condition humaine, tant dans notre vie privée que
dans notre vie professionnelle. Elle est espace de lutte entre
le bien-être psychique et la maladie mentale. Gérée adé-
quatement, elle peut toutefois mener au plaisir. Encore
faut-il être en mesure de gérer cette souffrance avec un
minimum de latitude. Une moindre marge de manœuvre
peut mener à des modes destructeurs de gestion de la
souffrance. Ainsi des travailleurs qui s'imposent un rythme
de travail inhumain pour ne plus avoir à penser, ou encore
ceux-ci qui se portent volontaires pour faire des heures
supplémentaires afin de minimiser la souffrance de la
« re-mise au travail ». Travailler seize heures d'affilée et
recommencer huit heures plus tard ne donne en effet qu'un
temps de récupération élémentaire, qui nous fait si peu
émerger de la souffrance que l'immersion renouvelée en
apparaît du coup moins brutale.

La souffrance est notre lot à tous et toutes mais elle
est aussi inégalement distribuée. Certains modes d'organisation du travail seraient davantage « souffrants » et donc
potentiellement pathogènes. Ainsi de ceux qui ne permettent pas de jouir de reconnaissance de la part des pairs, de
ceux où le travail réel est très différent du travail prescrit,
donc de ce qu'on demande de faire, des autres enfin qui
empêchent d'accéder aux tâches de conception et aux
responsabilités. En bref, des conditions désagréables qui
concernent bien du monde.

Faut-il pour autant retenir que la souffrance est le
principal élément de définition du rapport au travail ? Il
semble que ce n'est en fait ni la souffrance ni le plaisir qui
caractérise tant notre rapport au travail que le paradoxe,
que l'ambiguïté, que la synthèse de sentiments, laquelle

Un rapport
essentiellement
paradoxal

115

peut, certains jours, revêtir les apparences d'une confusion absolue.

Notre rapport au travail ne peut pas être appréhendé à partir des seules caractéristiques de notre emploi, et cela pour deux raisons. Il y a d'abord le fait que nous *adaptons* notre travail à nos besoins, autant que nous *nous* adaptons à lui. Nous ne sommes pas passifs. Tous nous apprécions certains aspects de notre travail, en rejetons d'autres plus ou moins violemment. Et les stratégies que nous mettons en œuvre visent à minimiser les aspects négatifs ou à les compenser en les associant à des gratifications.

Ensuite, notre rapport au travail est celui d'un être social, qui évalue son sort non seulement selon la perception qu'il a de lui-même, mais aussi selon sa perception de ce qui arrive aux autres, et enfin selon la place que le travail occupe dans sa vie.

Nous avons dans ce chapitre mis l'accent sur les individus que nous sommes, engagés dans des situations de travail plus ou moins gratifiantes, mais essayant tous d'y trouver notre bonheur. Le chapitre suivant présentera les différents liens et appartenances qui s'offrent à nous. Étant êtres irréductiblement sociaux, il s'agit là de deux angles d'analyse complémentaires.

116

1. Les organisations syndicales et féministes ont ainsi consacré beaucoup d'efforts et de réflexions au problème de la conciliation travail-famille.

2. Analyser la société en termes de classes sociales suppose qu'on la considère « travaillée » par des rapports de domination et d'exploitation. Ce type d'analyse s'oppose aux analyses en termes de stratification, laquelle représente les groupes sociaux comme autant de barreaux d'une échelle, la position d'un barreau n'ayant rien à voir avec celle d'un autre. Non, il n'y a plus deux « camps » clairement identifiés ; oui, les contours des classes sont à la fois plus englobants (modes de vie, culture) et plus flous, et pourtant... Voir à ce sujet *Alternatives économiques*, 1996, hors série n° 29.

3. Ont été consultés pour cette section les documents suivants : Santé Québec, 1995, *Rapport de l'enquête sociale et de santé, 1992-1993*, volume 3 ; J. O'Louglin *et al.*, 1987, *Indicateurs de santé, facteurs de risque liés au mode de vie et utilisation du système de soins dans la région centre-ouest de Montréal*, DSC et Hôpital général de Montréal.

4. Voir à ce sujet N. Aubert et V. de Gaulejac, 1991, *Le coût de l'excellence*, Paris, Seuil.

5. Sur la notion de satisfaction, voir James C. Taylor, 1979, « Job Satisfaction and Quality of Working Life: A Reassessment » dans L.E. Davis et J.C. Taylor (éd.), *Design of Jobs*, Santa Monica, Goodyear Publishing Company : 125-134.

6. Sur l'accommodement, l'ouvrage classique est celui de W. Baldamus, 1961, *Efficiency and Effort*, London, Tavistock Publications.

7. C'est à Gustave Nicolas Fischer que l'on doit les textes les plus intéressants sur cette question. Pour un condensé, voir G.N. Fischer, 1990, « Espace, identité et organisation », dans J.F. Chanlat et F. Séguin (sous la direction de), *L'individu dans l'organisation : les dimensions oubliées*, Québec, Paris, PUL, Éditions Eska : 165-183.

8. Question à la fois complexe et colonisée par la rectitude politique. Les images pornographiques en milieu de travail masculinisé peuvent être un mode particulièrement détestable de harcèlement de femmes minoritaires. Mais est-ce toujours le cas ? Et que faut-il penser de la « répression décorative » qui frappe certains plus que d'autres en se parant de vertus esthétiques ou morales ?

9. *Whistleblowing*.

10. Voir Christophe Dejours, 1990, « La souffrance humaine dans les organisations », dans J.F. Chanlat et F. Séguin, *op. cit.* : 687-708. Ce psychanalyste français a fait école en créant un courant de psychodynamique du travail.

117

7

Groupes et sous-cultures
en milieu de travail

Les appartenances larges

L'électricien, la travailleuse sociale, l'infirmière et le comptable n'ont pas besoin d'être en emploi pour s'identifier à une catégorie socioprofessionnelle. Les études qu'ils ont faites, leur diplôme ou autre accréditation en témoignent. Le premier sera sans doute membre d'un syndicat de métier, à moins qu'il ne soit établi à son compte. Les trois derniers seront sans doute membres d'ordres professionnels. Et tous paieront leur cotisation avec une certaine amertume si cette identité socioprofessionnelle durement méritée ne les mène pas à l'emploi ou aux contrats prévus.

Les catégories socioprofessionnelles

Mais eux au moins ont une identité socioprofessionnelle tangible, au contraire d'autres, tout aussi diplômés, qui ont choisi de se spécialiser en philosophie ou en économie. Certes les philosophes et économistes ne se privent pas de la liberté qui est la leur de se proclamer tels et de se doter d'associations et autres moyens d'échange et de socialisation. Mais cela n'empêchera pas un autodidacte et même un ignorant carabiné de s'intituler philosophe ou

119

économiste. Il ne s'agit pas là de métiers reconnus, et ils sont en conséquence non protégés par l'ordre public.

Plus ou moins reconnues, plus ou moins contrôlées, les catégories socioprofessionnelles ont donc le marché du travail qu'elles méritent ! Marché du travail très flou voire inexistant, ou marché du travail protégé et fermé, qui garantit pratiquement un gagne-pain à ceux ou celles qui auront traversé les épreuves du contingentement, des admissions sélectives et des examens.

De nombreuses catégories socioprofessionnelles ont utilisé la forme syndicale pour défendre leurs droits et pour modeler « leur » marché du travail. Ainsi des typographes et des ouvriers de la construction qui se sont dotés de syndicats de métier, lesquels détenaient auparavant un très grand pouvoir, de nature tant politique que professionnelle. Depuis les années 1960, on a vu au Québec se regrouper en syndicats professionnels des gens ayant une qualification reconnue (par exemple syndicats d'ingénieurs, d'enseignants...) ou qu'ils souhaitent voir mieux reconnue (par exemple les acupuncteurs).

Différent est le sort des gens qui ont un diplôme – ou un fragment de diplôme – d'études *générales* de niveau secondaire ou collégial. Ils n'ont pas de catégorie socioprofessionnelle à laquelle s'identifier avant d'avoir une activité professionnelle soutenue ou, mieux encore, d'avoir un emploi. Pour plusieurs, c'est l'emploi qu'on détient effectivement qui « construira » en quelque sorte l'identité socioprofessionnelle.

Un milieu de travail est donc toujours un espace où se rencontrent des personnes dotées d'identités *antérieures* et *extérieures*, identités fières ou honteuses, gagnantes ou perdantes, nettes ou floues, à partir desquelles chacun et chacune évoluera dans le marché du travail *interne* de l'entreprise.

Ouvriers et employées de bureau   Un milieu de travail est un microcosme au sein duquel évoluent d'une part des individus, d'autre part les catégories socioprofessionnelles auxquelles ils appartien-

120

nent. Autant de catégories, autant de sous-cultures, autant de groupes qui cherchent à protéger leurs frontières, en vertu de moyens reliés au niveau de contrôle exercé sur leur travail, mais aussi par la «position» plus ou moins prestigieuse et stratégique que confère l'identité socioprofessionnelle[1].

Attardons-nous à deux groupes importants dans la main-d'œuvre, et qui tous deux ont fait l'objet de nombreuses études : les ouvriers et les employés de bureau. Les groupes ouvriers ont souvent été analysés en fonction de leur niveau de qualification. Ainsi, les ouvriers dépourvus de qualification[2] ne trouveraient de valorisation ni dans leur identité propre ni dans leur poste de travail. Leur travail étant vécu comme une perte d'identité, puisqu'ils sont interchangeables et remplaçables, c'est dans l'appartenance à un collectif capable de se faire entendre qu'ils arrivent à exister dans la fierté, souvent dans le sillage d'un leader charismatique. Le cas échéant, ils se mobilisent de façon percutante et rapide, mais aussi quelque peu erratique et émotive.

De leur côté, les ouvriers dotés d'une qualification professionnelle[3] arrivent en milieu de travail porteurs d'une identité que leur poste leur donnera l'occasion de confirmer. Pour ceux-là, le groupe est un instrument de promotion collective qui prolonge ce qu'ils sont. Leur action sera marquée par la solidarité et l'égalitarisme. Leur action revendicative est davantage stratégique et continue[4].

La sociologie du travail a longtemps ignoré les employés de bureau. Ensuite elle les a comparés, à leur désavantage, aux ouvriers réputés plus combatifs, plus solidaires, censément dotés de conscience de classe, alors que les employés de bureau se distinguaient par l'absence de solidarité et un respect peureux de la hiérarchie. Les employés de bureau étaient en fait des *employées*, et plusieurs n'ont pas hésité à y voir une explication. Mais les employées de bureau s'adaptent en fait aux principes de fonctionnement des entreprises où elles évoluent. Auparavant peu ou pas syndiqués, de nombreux groupes d'employées de bureau, dans l'administration publique, le secteur financier et certaines entreprises manufacturières le sont maintenant. À l'échelle du Québec, il s'agit de « jeune syndicalisation ». En même temps, on peut parler d'une syndicalisation « tardive », dans la mesure où elle n'est souvent intervenue que bien après l'ouverture de l'entreprise et la constitution des groupes. Certaines politiques patronales, particulièrement en matière d'encadrement et de structures de postes et de salaires, auraient ainsi en partie perduré.

Peu après l'industrialisation, les employés de bureau étaient en petit nombre, regroupés autour du patron-propriétaire dont ils étaient les bras droits. Gratte-papiers, confidents et complices, ils étaient alphabétisés et bien au-dessus des masses ouvrières peu scolarisées. D'après certaines lectures de l'histoire du travail, c'est l'invention de la machine à écrire qui introduisit les femmes dans les bureaux, et du coup fit tomber le prestige associé à ce type de fonctions. Encore aujourd'hui, certaines entreprises d'ancienne implantation[5] ont conservé les traditions, avec un personnel de bureau très masculinisé... et bien payé.

Une recherche effectuée pour le compte d'une organisation syndicale[6] a mis en évidence que les structures de salaire et de classification inscrites aux conventions collectives des employées de bureau étaient très différentes de leurs équivalentes dans les conventions collectives de cols bleus. Du côté des cols blancs, les classifications sont beaucoup plus nombreuses, c'est-à-dire que des postes de travail relativement peu différenciés sont classifiés hiérarchiquement avec rémunération en conséquence. Il ne s'agit d'ailleurs pas nécessairement du principe du classement-moquette, en vertu duquel une secrétaire est classée selon le rang de son supérieur immédiat et non selon ce qu'elle fait, pratique humiliante qui sévit toujours.

En plus d'être davantage divisées aux plans hiérarchique et salarial, les employées de bureau sont souvent soumises à un système d'échelons qui prolonge de façon souvent très artificielle le délai d'atteinte du salaire maximal. Cette pratique est très discutable, s'agissant d'emplois relativement simples, et équivaut à une pratique de sous-rémunération systématique des moins anciennes. Les techniciens et professionnels syndiqués, de « jeune » syndicalisation aussi, ont semblablement repris le principe des structures salariales très hiérarchisées et ventilées. Pratiques qui tranchent avec celles en vigueur dans les groupes ouvriers syndiqués, où le salaire maximal est généralement acquis après six mois ou un an, et où les mêmes taux de salaires s'appliquent à des postes de travail très différents.

Le milieu de travail

Chacun a un jour ou l'autre aperçu de ces tableaux dont le rôle est de décrire la structure d'une entreprise. Ce sont des organigrammes et, fondamentalement, ils se ressemblent tous ; plus on va vers le sommet, moins c'est peuplé ; et seuls les gens vraiment importants ont le privilège d'y figurer nommément.

Plus qu'un organigramme

Les organigrammes ont une autre particularité, celle de nous dissimuler toutes sortes de réalités. Car le pouvoir, dans un milieu de travail, c'est plus qu'un organigramme, plus que des responsabilités officiellement détenues. Et toutes les « aberrations » sont dans la nature : des sous-chefs qui ont plus d'influence que les chefs, un sous-chef qui en mène bien plus large qu'un autre sous-chef, un subalterne qui a l'oreille du chef... et ainsi de suite.

Et nous n'avons encore parlé que de postes individuels. Mais les mêmes phénomènes ont cours si l'on passe au pluriel, c'est-à-dire aux catégories socioprofessionnelles et aux différents services et sous-services. Et si l'on brasse tout cela, on obtient des univers complexes qui résistent à l'appréhension immédiate. Que faut-il faire ? Observer, écouter...[7]

Vous voilà embauché dans l'entreprise BZZ. Vous savez qui vous êtes, possédez une bonne idée de ce qu'est l'entreprise, mais n'avez qu'une idée bien approximative de l'ensemble social dans lequel vous vous insérez. Quant aux groupes, formels ou informels, qui hantent l'entreprise, qui animent les corridors et les cantines, qui alimentent les animosités, les amitiés et les rumeurs, vous n'en avez aucune idée. Que vous le vouliez ou non, vous serez happé par un processus de *socialisation*, à travers lequel vous serez graduellement initié aux valeurs et attitudes que certains vous suggèrent de cultiver et que d'autres vous déconseillent. Vous décoderez les comportements des autres, leurs mots et leurs silences. Vous aurez sans doute les attitudes que l'on attend de vous. Le milieu où vous venez de pénétrer est comme une pièce de théâtre continue où vous n'êtes d'abord qu'un figurant qui observe, tente d'identifier qui joue les premiers rôles et se demande vers qui vont ses sympathies.

Le mécanisme de la socialisation, ou ce vaste système d'apprentissage informel, est un passage obligé pour qui pénètre un milieu de travail. Et sans doute n'a-t-il jamais de fin, puisque chaque groupe est en soi un univers de socialisation.

Cela n'est pas dire que nous sommes des réceptacles passifs, et que les normes et valeurs en vigueur dans notre environnement tombent sur nous comme une pluie acide. Nous venons d'ailleurs, avons accumulé expériences, succès et échecs. Nos origines sociales et familiales ont laissé sur nous une empreinte indélébile. Surtout nous avons développé une identité, la conscience d'être une personne « X » avec tels et tels attributs.

À la faveur de nos nouvelles appartenances, de notre familiarisation avec notre milieu de travail, du poste occupé et de son insertion dans un ensemble de nouvelles qualifications acquises, nous développerons de nouveaux ancrages identitaires. Selon plusieurs, le milieu de travail est la première source de construction de l'identité adulte... ce qui, dans l'état actuel du marché du travail, est une opinion passablement déprimante. Mais c'est sans doute juste pour la plupart, ce qui ne veut pas dire que d'autres appartenances ne puissent toutefois nous offrir des appuis identitaires. Comme un engagement associatif, comme des enfants, comme un parcours étudiant, comme une vie bien remplie même si l'essentiel est derrière nous, comme une relation amoureuse...

La façon dont le travail est organisé, les politiques patronales... portent des conséquences sur la construction des identités dans l'entreprise. On a déjà fait état de l'importance des efforts mis en œuvre dans les milieux de travail pour susciter chez les salariés un patriotisme d'entreprise, autre façon de désigner un sentiment identitaire fondé sur l'appartenance au milieu de travail global.

Organisation du travail et identités

Par ailleurs, de nouvelles façons d'organiser le travail peuvent être vues comme suscitant des micro-appartenances et donc des identités fragmentées. Ainsi de la mise sur pied d'équipes de travail, dont les membres n'auront pas qu'à œuvrer les uns à côté des autres, mais devront véritablement collaborer et échanger, incarner face à l'entreprise une qualification et une responsabilité collectives.

Semblablement, la décentralisation des opérations et la délégation des pouvoirs selon un axe horizontal peut avoir pour effet de bâtir des solidarités sur une base plus étroite. Ainsi habilite-t-on les unités à rapatrier les opérations qui sont, en amont et en aval, complémentaires à la réalisation de l'opération ou du processus dont elles ont charge. Par exemple, les salariés qui produisent l'objet « x » vont s'occuper aussi de l'approvisionnement en matériaux, pièces et outils nécessaires ; ils pourront même s'occuper de l'acheminement de leur production à la clientèle. Dans certains cas, les unités maîtrisent un budget, dont elles doivent bien sûr rendre compte, et constituent de ce fait des centres opérationnels.

Quelle que soit l'organisation du travail, qu'elle soit décentralisée ou pas, il demeure assez naturel de développer un rapport de complicité avec des collègues avec qui on partage une condition. Cela n'est pas dire que les identités fragmentées vont contre l'identité corporative. C'est la *dynamique identitaire* qui devient le facteur crucial. Des identités partielles peuvent renforcer l'identité de l'organisation tout comme elles peuvent la contrer ou lui être indifférente. L'intérêt de l'employeur passe sans doute par un patriotisme d'entreprise relayé, le cas échéant, par des sentiments d'appartenance à l'échelle des groupes. Tant que les groupes forment un relais pour l'entreprise, ils ne font que renforcer l'identité corporative qui peut trouver profit à s'incarner dans le quotidien du travail salarié.

Identités et action

Le mythe de la grande famille

Nombreux sont ceux qui s'en doutent, mais il faut le répéter : une entreprise, un milieu de travail n'ont rien à voir avec cette « grande famille » mythique que le discours patronal aime à faire entrevoir... laquelle n'entretient d'ailleurs que peu de ressemblances avec les familles concrètes dont nous faisons partie. Toutes les familles, qu'elles soient nucléaires ou élargies, sont aussi des univers de tensions et de rapports de force. Bien des familles dissimulent en outre des violences, des déceptions, des haines et des abandons.

Mais une entreprise ne ressemble même pas à la « pire » des familles. Une entreprise est fondée sur le profit et, si elle est publique, sur le service au plus bas prix. Jamais, ni avant, ni pendant, ni après, une entreprise n'est l'association d'individus aimants qui veulent perpétuer cet amour. Certes, il y a des PME, des coopératives de petite taille, des groupes communautaires où l'on travaille en toute amitié et convivialité. Mais, à l'échelle du marché du travail, il s'agit de l'exception qui confirme la règle.

Est-ce à dire qu'un milieu de travail est une foire d'empoigne, voire un coupe-gorge ? Non... encore que tout soit dans la nature ! Simplement, un milieu de travail est traversé par différentes façons de penser et d'agir, différentes sous-cultures. Un milieu de travail est de plus un univers hiérarchisé, où le pouvoir qu'on a, ou qui nous fait défaut, a beaucoup d'importance. Par-dessus tout, un milieu de travail fonctionne selon une logique de performance.

C'est donc dans ces ensembles complexes et déroutants que nous arrivons et tentons de nous faire une place. Où se porteront nos préférences ? À quel groupe prêterons-nous allégeance ? La plupart du temps, à plus d'un. On peut être fier et ravi de travailler chez BZZ tout en estimant que notre syndicat joue un rôle indispensable ; les luttes pathétiques des travailleurs confrontés à la fermeture de leur entreprise en sont un témoignage exacerbé. On peut même cumuler les attributs qui précèdent *en plus* d'avoir une forte identité socioprofessionnelle ou de service, voire de trouver qu'il y a lieu que les *femmes* – ou autre minorité objective ou subjective – fassent entendre une voix collective.

Les ancrages identitaires ne s'offrent tout de même pas à nous comme les pots de confiture dans un supermarché. Le choix est limité. Mais il y a des choix plus importants que d'autres, car ils recoupent les autres. Ainsi du choix *syndical*, dont beaucoup pensent que, s'il n'a pas à être exclusif, doit être *autonome* par rapport à l'entreprise. Les salariés syndiqués partagent une situation fondamentalement identique face à l'employeur, une situation qui les en distingue radicalement en termes de pouvoir. C'est pourquoi les syndicats doivent voir à conserver une identité affirmée et distincte face à un employeur qui, règle générale, cherche à en diluer la spécificité... au nom de la « grande famille » !

Il existe au moins une bonne raison pour accorder tant d'importance aux ancrages identitaires. Il est raisonnable de penser que l'identité précède l'action, et cela tant à l'échelle individuelle que collective. Quand on va demander une augmentation de salaire à un supérieur ou que l'on demande à l'assemblée générale du syndicat d'entériner une demande de revalorisation, c'est que l'on a une idée très précise de notre compétence et du travail accompli. Même à l'échelle individuelle, d'ailleurs, le « nous »

*Le moteur
de l'action*

127

précède et donne sens au « je ». Ce peut être un « nous » venu d'ailleurs, qui ne renvoie pas au milieu de travail immédiat. Mais la conscience de ce que nous avons en commun avec les autres et de ce qui nous en distingue nous aide à savoir qui nous sommes. Les autres sont un « miroir obligé »[9].

À l'échelle d'un groupe, le passage à l'action s'appuie semblablement sur une identité partagée. Nous agissons parce que la conscience du groupe auquel nous appartenons, avec ses attributs, ses objectifs – même imprécis –, ses adversaires, ses aspirations et parfois son désarroi nous poussent à agir. Quel motif aurions-nous de passer à l'action, quelle qu'elle soit, sans sentiment identitaire ?

Il est courant, en milieu syndical, de conditionner le passage à l'action, à l'existence ou à l'établissement d'un *rapport de force*... mots sacrés et consacrés, mots pudiques et trompeurs, qui dissimulent au premier chef la nécessité pour le groupe d'avoir une conscience identitaire. En fait, un groupe qui n'en a pas, et il en est plusieurs, existe officiellement mais est incapable d'action.

Heureusement, les jeux ne sont jamais faits pour l'éternité. L'identité doit être vue comme un processus, elle se saisit mal dans l'instantanéité[10]. Surtout, c'est dans la mobilisation qu'elle éclôt et se cristallise. Une grève, et d'autant plus qu'elle sera perçue comme une réussite par ceux qui l'ont faite, peut ainsi *construire* le groupe, tisser des solidarités entre des gens qui auparavant voyaient leur syndicat plutôt comme un instrument. Rien n'est jamais acquis mais rien n'est jamais non plus désespéré : l'identité peut se diluer, mais elle peut aussi se construire.

L'action collective   La frontière entre une action à caractère individuel et une autre à caractère collectif est imprécise. Dans de nombreux milieux de travail, sinon tous, les membres d'un collectif salarié mettent souvent en pratique, chacun de son côté, des normes qui sont, plus ou moins explicitement, en fait établies par le collectif. L'exemple le plus documenté concerne les normes en matière de production ou d'effort fourni : il faut travailler correctement, mais pas « surtravailler ». Et n'est-il pas vrai que, dans les milieux de travail, les deux types de personnes qui sont souvent ostracisées sont, d'une part les « zélées » qui en font trop et à qui on imputera des motivations viles ; d'autre part, les « paresseuses », qui donnent à l'employeur une mauvaise image du collectif, dévalorisent par leur insouciance la compétence et l'effort des autres et obligent à travailler plus fort pour compenser.

La résistance collective peut prendre des formes plus ouvertes. En fait, les groupes agissent « comme ils le peuvent ». Dans notre régime d'encadrement juridique, l'accès aux moyens de résistance réputés les plus efficaces, soit les différentes formes d'arrêt collectif de travail, est réservé aux groupes syndiqués. Les groupes qui ne sont pas reconnus comme syndicats accrédités doivent donc, pour passer à l'action, s'en remettre à l'informel, à l'implicite, sinon au clandestin. Certes on peut imaginer qu'un groupe non syndiqué utilise des moyens d'action énergiques, à l'échelle d'un milieu de travail ou de la société globale, en raison de sa position stratégique ou de la sympathie qu'il s'attire. Mais, qu'il s'agisse d'un groupe syndiqué ou d'un groupe socioprofessionnel qui ne l'est pas, la recette de victoire est la même : il faut que *tous*, ou presque, en soient. Sinon, l'effilochement, le discrédit menacent. En milieu de travail, la guérilla d'un petit groupe éclairé ne fait pas recette !

Pour la majorité, l'existence d'un syndicat est, sous nos latitudes, le meilleur laissez-passer pour l'action collective. Si l'on est d'accord sur le fait qu'il peut être tout à fait pertinent et qu'il est parfaitement légitime que des employés se réunissent hors la présence de l'employeur, la seule façon « sécuritaire » de s'y prendre est de former un syndicat. Sans préjuger de quelque action que ce soit, l'existence d'un syndicat permet au moins de convoquer et de tenir des assemblées, ce qui est le plus élémentaire des droits collectifs !

Notes   1.   Sur ces questions, on peut consulter H.M. Trice, 1993, *Occupational Subcultures in the Workplace*, Ithaka, Cornell University ; R. Sainsaulieu, 1977, *L'identité au travail*. *Les effets culturels de l'organisation*, Paris, Presses de la Fondation nationale des sciences politiques.

2.   Au Québec, nous les appelons « journaliers » ou « ouvriers non spécialisés »... ce qui n'empêche que dans le vocabulaire corporatif on en fait des « opérateurs » ou des « techniciens ». En France, on les appelle O.S., soit ouvriers spécialisés, appellation dérivée des machines auxquelles ils sont affectés, machines dites spécialisées... Quelle source de malentendus !

3.   Au Québec, on les appelle « ouvriers spécialisés » (mais pas O.S. !) alors qu'en France ils sont des « ouvriers qualifiés ».

4.   Un titre classique à ce sujet : L.R. Sayles, 1958, *Behavior of Industrial Work Groups*, New York, John Wiley and Sons.

5.   C'est particulièrement le cas dans le secteur du papier, où la majorité des entreprises datent du début du XXe siècle.

6.   Fédération des travailleurs et travailleuses du Québec (FTQ), 1987, *L'équité salariale : ni plus... ni moins ! Une question de solidarité*, Montréal.

7.   C'est ainsi que le sociologue français Michel Crozier propose que la première tâche du sociologue arrivant dans une entreprise est d'identifier les *acteurs* (individuels mais plus généralement collectifs), c'est-à-dire ceux qui détiennent un pouvoir dans l'entreprise. Voir Michel Crozier et E. Friedberg, 1977, *L'acteur et le système*, Paris, Seuil.

8.   Voir à ce sujet Claude Dubar, 1991, *La socialisation. Construction des identités sociales et professionnelles*, Paris, Armand Colin.

9.   Pour réfléchir à cette question, voir P. Cours-Salies, 1995, « La domination du travail », dans P. Cours-Salies (sous la direction de), *La liberté du travail*, Paris, Syllepse : 9-43.

10.   Voir à ce sujet D. Segrestin (sous la direction de), 1981, *Les communautés pertinentes de l'action collective*, Paris, CNAM.

Conclusion
LE TRAVAIL EN MUTATION
UN DÉBAT

Les difficultés du diagnostic

Il vient un moment où un bilan apparaît pertinent. Que va devenir le marché du travail dans la version concrète et quotidienne que nous en connaissons ? Nos petits-enfants seront-ils libérés du travail ? Ce dernier sera-t-il un instrument d'asservissement ou d'épanouissement ? Telles questions appellent des *pronostics*. En réalité, il est terriblement difficile de poser même un *diagnostic* sur les réalités actuelles. Contre certaines apparences, et en dépit de l'assurance patentée des gourous qui prétendent voir la lumière dans ce qui pour la plupart relève de l'opacité quasi totale, le marché du travail et les conditions réelles de travail sont parmi les objets, en sciences sociales, qui sont très difficiles à appréhender, encore plus à cerner.

Posons quelques simples questions. Combien de transactions entre une offre et une demande le marché du

Un consensus sur le changement

travail, formel et informel, recouvre-t-il en une année au Québec ? Combien de relations d'emploi, éphémères ou appelées à durer un peu, se sont-elles négociées ? De combien d'employeurs chacun de nous a-t-il reçu rémunération ? Et à combien de personnes avons-nous versé rémunération ? Le marché du travail, c'est la somme de toutes ces transactions. Dix millions, cinquante millions, cent millions de transactions ? Dans une période où l'atypie et le travail au noir progressent parmi d'autres phénomènes qui contribuent à atomiser le marché du travail, il est illusoire de prétendre reproduire la réalité à partir de statistiques qui n'ont pas été conçues pour l'investigation pointue de phénomènes dissemblables. Et fût-il segmenté, le marché du travail demeure *un* ensemble dynamique. Le nombre de sans-emploi, les écarts entre le prix du travail déclaré et le prix du travail non déclaré... influent sur le marché du travail dit régulier, que les statistiques décrivent un peu mieux, mais qui n'en constitue qu'une partie.

Toutefois, il existe au moins un terrain d'entente aussi solide qu'est censé l'être le roc de Gibraltar. Tout le monde est d'accord sur le fait qu'« il se passe quelque chose », tout le monde est d'accord sur le fait que le monde du travail change. Et même ceux qui concluent que « plus ça change, plus c'est pareil »... par définition l'admettent.

Recherches et discours   La recherche en sociologie du travail a connu un nouvel essor au Québec ces dernières années. Et pour cause, puisque les questions du futur du travail *et* du marché du travail sont tout aussi problématiques que cruciales pour l'avenir de notre société.

Nous disposons d'un nombre de plus en plus important de matériaux de recherche empirique : études de cas, tentatives d'études sectorielles. Mais la recherche-terrain peut aussi déboucher sur des propositions théoriques. Le modèle analytique est, pour le chercheur, autant un éclairage sur les réalités différenciées que, très souvent, l'aboutissement d'une recherche en forme de tâtonnements et d'accumulation de données. Il n'y a pas à se surprendre que les mutations du marché du travail *et* des milieux de travail des quelques dernières décennies aient suscité la confection de modèles d'analyse.

Les idées circulent, les recherches se fertilisent d'un pays à l'autre. Sur cette trame de fond se sont bâties – et se bâtissent jour après jour – des façons différentes d'analyser le changement. Autour d'une demi-douzaine environ de courants constitués[1] gravitent des sous-courants, des contre-courants, des planètes, des étoiles filantes et autres météorites. Certaines lectures sont plus économiques, d'autres font grand usage de matériaux historiques, d'autres enfin accordent plus d'attention aux rapports sociaux. Certaines lectures sont péremptoires, d'autres pataugent dans un océan d'hypothèses. Toutes ont cependant en commun de mettre au centre de l'intérêt ce qui se passe *dans* les milieux de travail et *sur* le marché du travail.

Recherches empiriques et théoriques se complètent et s'alimentent mutuellement, s'échangent qualités et défauts. Partout, les sociologues du travail affrontent les mêmes problèmes : représentatitivé des études de cas, difficultés d'accès aux terrains, persistance des changements constatés, comparabilité des données recueillies...[2] Ainsi, les connaissances accumulées concernent bien davantage les très grands établissements manufacturiers que les petits. De même, il est tendance d'aller vers les groupes majoritaires et plus encore archétypiques, dans les établissements, que vers les groupes minoritaires et périphériques. Ainsi, dans l'usine de montage automobile, on va vers les ouvriers à la chaîne et non pas vers les ouvriers d'entretien (et encore moins vers les employées de bureau). Dans les supermarchés, on s'intéressera aux caissières, pas aux employés qui s'affairent obscurément dans l'entrepôt. On ne peut pas être au four et au moulin en même temps, sociologue ou pas. Sauf que les gardiens de terrains de stationnement, les tondeurs de gazon, les employées de dépanneurs, les cueilleurs de pommes, les traductrices et les coiffeuses... intéressent peu et sont mal connus. Et voudrait-on les connaître, ce serait bien compliqué !

133

Rendant le diagnostic un peu plus complexe, la presse managériale et la presse en général nous abreuvent par ailleurs d'informations sur les milieux de travail, au travers desquelles il est difficile de départager la réalité du discours. Les discours syndicaux sont aussi de la partie, reprenant, en les accommodant, des bribes de théories en vogue. Et, comme en toute chose, il y a un monceau d'anecdotes, directes ou par ouï-dire, qui envahissent aussi notre perception de la réalité.

Tous les discours possèdent une légitimité. Aucun n'est par définition *vrai* ou *objectif*, et le discours scientifique ne fait pas exception. Mais les différents discours n'ont pas le même impact.

Ainsi, dans le grand public, le discours managérial est quasiment hégémonique ; les employeurs qui expriment *leur* réalité sont considérés comme exprimant *la* réalité. Un second problème est que le discours managérial tend à s'approprier certains éléments du discours scientifique, ce qui lui confère une crédibilité supplémentaire. Un exemple courant de prédation est l'amalgame entre l'épuisement du fordisme et les nouvelles stratégies économiques et gestionnaires des employeurs. Quelles que soient ces dernières, elles paraissent d'autant plus justes qu'on les présente comme des adaptations nécessaires à la conjoncture et, plus encore, des adaptations *éthiques* qui participent de la lutte à un taylorisme honni.

La réalité, croyons-nous, est plus complexe. Il n'est pas plus raisonnable d'en venir à des conclusions sur l'évolution des milieux de travail à partir d'un reportage paru dans un bimensuel ou projeté à la télévision que de faire un sort aux prestataires d'aide sociale parce que le voisin de notre beau-frère, qui en fait partie, vend des homards congelés en contrebande. L'anecdote demeure limitée et son utilisation soumise aux règles du bon sens. Il demeure que toutes ces catégories de matériel d'information se chevauchent, se renforcent ou s'invalident pour notre plus grande confusion.

Le besoin d'une sociologie du travail de terrain n'a peut-être pas été si grand depuis longtemps. Les systèmes théoriques ont en effet le mérite d'ordonner l'étude des phénomènes sociaux et de les clarifier, mais ils ont le défaut de gommer les atypies ou autres éléments perturbateurs.

Et, à l'heure actuelle, le manque de recul rend ardue la mesure des changements en cours. Il faut savoir regarder les deux côtés de la médaille, et compenser par une préoccupation éthique additionnée de bon sens le fait qu'en sociologie du travail les phénomènes aux apparences plus positives sont davantage étudiés et connus[3].

D'un modèle productif à l'autre

Pour plusieurs chercheurs qui ont proposé des modèles théoriques, ce qui se passe à l'heure actuelle dans les milieux de travail ne peut pas se résumer à une nomenclature de phénomènes localisés. Ce qui se passe est une *mutation* qui se répercute sur toutes les dimensions de la vie collective et individuelle. De fait, quand on se rend compte à quel point le travail salarié du plus grand nombre est un principe inscrit au cœur de nos sociétés, on peut être tenté par une analyse globale. C'est ainsi que l'on décrit couramment la crise actuelle comme devant entraîner la disparition du modèle productif qui a caractérisé le XXe siècle.

L'idée d'une rupture

Même quand on regarde loin derrière soi, l'exercice qui consiste à identifier le début et la fin des grandes périodes de l'histoire de l'humanité est complexe. Quand finit le Moyen-Âge ? Quand se généralisa la démocratie ? Quand la prolétarisation des employées de bureau intervint-elle ? Autant de questions qui alimentent les débats sans fin de sciences qui se développent sur une base cumulative.

Plusieurs courants de pensée, à partir de concepts et de données issus des diverses disciplines sociales et historiques, se conjuguent donc pour identifier une « mutation », une « rupture », une « crise majeure »... bref ce genre de phénomène qui fait qu'éventuellement il sera clair pour tous qu'il y a eu un *avant* très différent de l'*après*... et que l'un et l'autre peuvent être décrits.

Rien de ce qui est social ou presque ne serait, selon ces lectures, en bonne posture pour entamer le XXᵉ siècle. Parmi tous les phénomènes dont on a annoncé la mort imminente ou le décès, il y a : la production de masse, la consommation de masse, le travail déqualifié, l'accumulation du capital par le biais des hausses de productivité, l'adversité dans les rapports patronaux-syndicaux... La pensée binaire avant-après est devenue une norme dans les milieux sociologiques. Le changement actuel est structurel et surtout englobant ; il s'agit d'*un* changement dont les différentes dimensions sont coordonnées, et non pas de *plusieurs* changements.

La crise du fordisme[4] L'école de la *régulation* se distingue des autres courants par l'ampleur et l'importance de ses travaux. Du propre aveu de ses principaux représentants, les États-Unis ont été pour ces chercheurs ce que l'Angleterre avait constitué pour Marx : un laboratoire, une clé pour comprendre ce qui se passait dans l'ensemble des sociétés avancées. C'est dans l'étude de la société américaine que se sont développées les premières intuitions de ces chercheurs... français.

À l'origine théorie macroéconomique, le régulationnisme est allé chercher beaucoup de notions du côté des sciences sociales. C'est aussi ce qui le distingue. Les écrits régulationnistes n'ont rien de commun avec les exposés des économistes néoclassiques, qui enferment les fonctionnements de nos économies dans une série d'équations. Ils se réclament d'ailleurs d'une filiation avec Marx et Keynes, et estiment qu'une de leurs contributions essentielles aura été d'*historiciser* la théorie économique.

Que nous disent les régulationnistes ? Que les économies développées traversent une crise majeure et sans précédent. Le modèle *fordiste*, dont tous les éléments se complétaient logiquement et qui *organisait* la société, éclate sous nos yeux. Selon cette théorie, la production de masse, le mode d'accumulation du capital, des salaires assez élevés pour consommer, un niveau d'emploi satisfaisant, une organisation du travail peu qualifiante, des syndicats préoccupés par les niveaux de salaires exclusivement, un État « fixant » le modèle productif par des mécanismes régulateurs comme la sécurité sociale... sont autant d'éléments constitutifs d'une sorte de cercle vertueux qui assurait la reproduction du modèle fordiste.

La *crise* a fait en sorte que, l'un après l'autre, au tournant des années 1970, les maillons du cercle vertueux ont cédé. Troubles économiques : baisse de productivité, baisse des profits et de l'investissement, montée du chômage, baisse de la demande... Troubles sociaux : manifestations et grèves contre un travail bête et déqualifié... Crise des finances publiques... Ce maelström de perturbations entraîne les acteurs sociaux à se repositionner : syndicats qui modifient leurs revendications, acceptent ce qu'avant ils refusaient (salaires plus bas ou plus flexibles) mais réclament ce qu'avant ils ignoraient (un travail plus qualifié) ; employeurs qui jouent la carte de la flexibilité tous azimuts et mettent en place des pratiques de consultation des salariés... Ce qui fait dire aux régulationnistes qu'un nouveau *compromis salarial* est en train de se dessiner, qui sera au cœur du post-fordisme.

Chaque pays a une trajectoire qui lui est propre. Le fordisme agonise partout... mais chaque agonie a ses particularités. Et comme un rapport salarial ne peut se configurer qu'à l'échelle d'une économie nationale, on comprend que le post-fordisme soit pour l'heure difficile à saisir. Ce qui n'empêche que plusieurs auteurs ont proposé des reconfigurations possibles[5].

L'exacerbation des contradictions

D'autres, dont l'auteure, craignent les effets stérilisants et déformants d'une lecture univoque de l'évolution du travail. Il est proposé que, dans l'état actuel de nos connaissances, il apparaît téméraire de soumettre des phénomènes différents, des secteurs d'activité et des types

Des interrogations complémentaires

137

d'emplois qui le sont tout autant, à une grille d'analyse identique. Il s'agit de savoir, en fait, si les changements qui caractérisent le marché du travail *et* le travail se développent en vertu d'une logique immanente ou si différentes trajectoires, assorties d'une bonne dose d'incertitude, ne sont pas à l'œuvre.

Ainsi, du marché du travail, qui est tout sauf monolithique, les réflexions actuelles autour des mutations des modèles productifs, dont la pensée régulationniste est exemplaire, tendent à placer au centre de l'analyse l'entreprise, la grande, la colossale, la vraie, celle qui permet au chercheur de se mettre sous la dent au même endroit et au même moment un trésor de données techniques, sociologiques, économiques. Mais le *marché du travail*, on ne le sait que trop, dépasse la réalité des entreprises archétypiques, ne se résume pas aux usines d'automobiles chéries des sociologues[6]. Les chercheurs qui s'éloignent des sentiers battus et s'intéressent à l'industrie de la restauration rapide donnent à certains l'impression de travailler sur de la marginalité, de l'infiniment petit. Mais la réalité des conditions de travail au royaume du hamburger est peut-être aussi représentative du marché du travail actuel (et de celui de l'avenir) que celle des papetiers et des sidérurgistes.

Par ailleurs, alors que le travail atypique[7] se développe à un rythme effréné, ne convient-il pas de mettre un bémol aux envolées oratoires racontant le bonheur retrouvé des salariés ? Ainsi, ce jeune homme, que nous avons évoqué à son premier jour de travail chez BZZ, est un privilégié. Il le mérite, dira-t-on. Il a fait deux diplômes techniques au lieu d'un pour maximiser ses chances. Il s'est bien classé aux épreuves d'entrée. Et on a retrouvé dans la parenté un psychologue industriel qui lui a prodigué des conseils sur ce qu'il fallait dire et ne pas dire aux entrevues de sélection et donné quelques mises en garde relatives aux tests psychométriques. Parcours sans faute.

Notre technicien plein d'avenir ne tardera pas à se rendre compte qu'il est non seulement un privilégié parmi son groupe d'amis, mais qu'il l'est aussi au sein même de BZZ. Le tiers des techniciens et le quart des ouvriers travaillent sur appel, pour des périodes allant de deux semaines à deux mois, sans illusion aucune sur leurs chances de pénétrer le périmètre sacré des employés réguliers. Dans les bureaux de BZZ, chaque semaine apporte sa ration de nouveaux visages qui disparaissent aussi mystérieusement qu'apparus. Ce ne sont pas des employés de BZZ, leur employeur est une agence de louage de personnel qui interdit d'ailleurs à BZZ d'offrir un emploi à ses pupilles. Le personnel de la cafétéria est celui d'une firme qui gère plusieurs cafétérias en milieu de travail. Le personnel de gardiennage travaille pour une agence qui fournit personnel et uniformes.

Les interrogations sur l'évolution du travail *et* du marché du travail sont complémentaires. Mais comme il est difficile de les formuler en même temps ! Et comme elles apparaissent dissemblables à tant d'égards !

Les changements dont il a été fait état abondamment n'empêchent qu'il y a des choses qui ne changent pas et des tendances qui, loin de disparaître, s'accentuent. Énumérons-en trois : *La pérennité*

- Les entreprises, privées et publiques, continuent à être gérées par ceux qui en possèdent le capital ou la propriété, et par ceux que les premiers nomment pour ce faire. Au plan des mécanismes de démocratie *formelle*, celle qui compte quand il s'agit de mettre la clé dans la porte, l'entreprise n'est pas plus démocratique qu'avant eu égard à son personnel. À la faveur du recul du taux de syndicalisation, elle l'est peut-être un peu moins.

- Les gestionnaires des entreprises, privées et publiques, ont développé des stratégies qui les habilitent à exercer un contrôle plus efficace et plus complet sur les salariés. La relation entre un salarié et son employeur n'est plus simple relation marchande (donner du temps de travail contre salaire) mais relation d'appartenance,

139

d'allégeance. Selon plusieurs, la lutte de classe s'est déplacée du terrain économique vers le champ culturel et idéologique, là où se forment les ancrages identitaires qui nous définissent.

– Le marché du travail a toujours été un terreau d'inégalités. Même à son apogée, le modèle fordiste avait son lot de marginaux, de déclassés, de sous-payés qui auraient été étonnés d'apprendre que la classe ouvrière était si prospère qu'elle était en train d'asphyxier les entreprises. Mais le marché du travail qui se dessine accentue cette tendance aux inégalités, à toutes les inégalités : revenu, statut, santé, qualité générale de vie, mobilité, contrôle sur son parcours professionnel...

Les changements À l'intérieur de cette pérennité, et sans lui porter atteinte, de nombreux changements se font jour, difficiles à mesurer. Quant au sens des changements, c'est-à-dire l'arbitrage sur la valeur positive ou négative des changements, le débat est ouvert, et d'autant plus qu'on peut les apprécier selon des critères d'ordre différents : éthiques, économiques...

– Par exemple, beaucoup de changements se déroulent en rapport avec la qualification des salariés. Les nouvelles technologies de l'information changent le travail, lequel requiert plus de connaissances abstraites[8]. Ceci est manifeste pour ce qui concerne la main-d'œuvre centrale de plusieurs secteurs d'activité, notamment dans les industries de process et l'industrie chimique. Mais ce changement est beaucoup moins net dans les industries de fabrication et d'assemblage. Encore moins net dans les services, où les technologies de l'information sont surtout un moyen pour faire travailler plus intensivement.

– Le rapport général entre employeurs et salariés, médiatisé le cas échéant par des syndicats, est aussi l'objet de nombreux changements ; on parle couramment de démocratisation. Le questionnement le plus important à cet égard vise à identifier les gagnants. La réponse la plus en vogue est : tout le monde. L'expression « gagnant-gagnant » fait partie du répertoire des mots creux corporatifs. C'est ainsi qu'on a paré du beau nom de flexibilité toutes sortes de pratiques concessives de la part des syndicats : acceptation de gel ou de recul dans les salaires, institutionnalisation d'un volet de main-d'œuvre précaire... La mise sur pied de groupes de résolution de problèmes, à côté de cela, ne fait pas le poids ! Évolution post-fordiste ou affaiblissement des salariés et de leurs organisations ? Et n'est-il pas difficile de croire qu'à une période où s'accentue la diversité des statuts d'emploi, et où un bataillon toujours renouvelé de chercheurs d'emploi pèse sur les conditions générales de travail, le travail serait entré dans une période bénie où il serait plus intéressant et plus intelligent ?

Beaucoup de changements, sinon tous, peuvent être sujets à débats, dès lors que l'on tente de *généraliser* les diagnostics. Dans l'état actuel de nos connaissances, on pourrait soumettre que le travail et le marché du travail évoluent plutôt à l'enseigne de la *contradiction*. Il y a indéniablement des gagnants, mais aussi d'inexorables perdants. Tous les secteurs ne suivent pas les mêmes démarches, tous les types d'entreprises non plus. Et peut-être peut-on même proposer qu'il y a une *logique* à l'œuvre au sein même des contradictions... par exemple que certaines catégories de la main-d'œuvre profitent d'une rente de situation alimentée par la précarisation d'autres catégories[9].

Exacerbation des contradictions, perte de contrôle collectif sur l'évolution du marché du travail, perte de contrôle individuel sur nos choix professionnels. Voilà peut-être en quoi consistent les logiques à l'œuvre. Des traits inquiétants se dessinent. Pourtant, le travail est au cœur de nos vies, au cœur de l'organisation de nos sociétés. De même qu'on ne laisse pas la guerre, non plus que le

141

maintien de la paix, aux généraux, ne laissons pas les organisations patronales et les employeurs seuls à la barre. La qualité de notre vie démocratique, notre pouvoir collectif d'intervention et d'action sur notre société, le désir d'une société qui ferait la lutte aux inégalités et aux injustices... nous commandent de faire du travail une question soumise au débat public, d'en faire une priorité collective. Et pour y arriver, il faut faire plus que revendiquer le plein emploi !

Notes

1. Ce chiffre est censé mais certainement contestable. Par ailleurs, à quel moment un penseur solitaire ou des penseurs marginaux deviennent-ils un courant ?

2. Le problème relatif à l'appréhension scientifique des changements en cours a aussi été discuté dans M.-J. Gagnon, 1994, chapitre 7 (cf. bibliographie).

3. Il serait éventuellement pertinent de faire une synthèse systématique des données existantes sur les milieux de travail mais, pour l'auteure, la masse critique n'est pas au rendez-vous. En attendant, on peut prendre connaissance d'une synthèse *rétrospective* signée par Camille Legendre, « Évolution de la sociologie du travail au Québec. Un aperçu », dans *Recherches sociographiques*, à paraître en 1997.

4. Pour un aperçu de la théorie de la régulation dont il est ici question, voir Robert Boyer et Y. Saillard, 1995, *Théorie de la régulation. L'État des savoirs*, Paris, La Découverte, coll. Recherches.

5. Notamment, au Québec : P.R. Bélanger *et al.*, 1994, *La modernisation sociale des entreprises*, Montréal, Presses de l'Université de Montréal.

6. Particulièrement pas au Québec où il n'y en a qu'une !

7. Travail *atypique*: expression sans saveur et pleine de candeur, qui dissimule, entre autres choses, l'émergence de nouvelles formes d'exploitation des travailleurs et travailleuses et la résurgence d'anciennes formes d'exploitation.

8. Voir par exemple P.A. Lapointe, 1992, « Modèles de travail et démocratisation. Le cas des usines de l'Alcan au Saguenay, 1970-1992 », dans *Cahiers de recherche sociologique*, n°s 18-19.

9. Voir à ce sujet A Pollert (sous la direction de), 1991, *Farewell to Flexibility*, Oxford, Basil Blackwell.

Bibliographie sélective

BÉLANGER, Paul R., M. GRANT et B. LÉVESQUE (sous la direction de), 1994, *La modernisation sociale des entreprises*, Montréal, Presses de l'Université de Montréal.

BOYER, R. et Y. SAILLARD, 1995, *Théorie de la régulation. L'État des savoirs*, Paris, La Découverte, coll. Recherches.

CASTEL, R., 1995, *Les métamorphoses de la question sociale. Une chronique du salariat*, Paris, Fayard.

DE BANDT, J., C. DEJOURS et C. DUBAR, 1995, *La France malade du travail*, Paris, Bayard.

DE COSTER, M. et F. PICHAUDT, 1994, *Traité de sociologie du travail*, Bruxelles, De Boeck.

GAGNON, Mona-Josée, 1994, *Le syndicalisme. État des lieux et enjeux*, Québec, Institut québécois de recherche sur la culture, coll. Diagnostic.

GORZ, André, 1988, *Métamorphoses du travail. Quête du sens*, Paris, Galilée.

KENNEDY M. et R. FLORIDA, 1993, *Beyond Mass Production. The Japanese System and its Transfer to the U.S.*, New York, Oxford University Press.

143

LINHART, Danièle, 1994, *La modernisation des entreprises*, Paris, La Découverte.

MÉDA, D., 1995, *Le travail. Une valeur en voie de disparition*, Paris, Alto Aubier.

MURRAY G. *et al.*, *L'état des relations professionnelles. Traditions et perspectives de recherche*, Québec, Presses de l'Université Laval, à paraître en 1996.

SAINSAULIEU, Renaud (sous la direction de), 1990, *L'entreprise, une affaire de société*, Paris, Presses de la Fondation nationale des sciences politiques.

STROOBANTS, Marcelle, 1993, *Sociologie du travail*, Paris, Nathan.

Table des matières

145

• Cap-Saint-Ignace
• Sainte-Marie (Beauce)
Québec, Canada
1996